1971

This book may be kept

FOURTEEN DAYS

A fine will be charged for each day the book is kept overtime.

GAYLORD 142			PRINTED IN U.S.A.

PAUL CLAUDEL

Coronal

PAUL CLAUDEL

Coronal

———

Rendered into English by Sister Mary David, S.S.N.D.

PANTHEON BOOKS INC., NEW YORK

NIHIL OBSTAT
EDWARD A. CERNY, S.S., D.D.
Censor Librorum

IMPRIMATUR
MICHAEL J. CURLEY, D.D.
Archbishop of Baltimore and Washington

DATE
June 15, 1943

CONTENTS

THE SECOND PART OF THE YEAR

THE WAY OF THE CROSS

Corona—the first book by my father that I read, the first that he gave me, with a fine dedication, for my twelfth birthday— here am I charged with presenting its translation to the American public. It is a great honor, Sister, and I feel as intimidated as an actor at his first appearance upon the stage, when the curtain rises and he sees in the dimness a whole audience staring at him —with a stare that strips one to the bone. At this very moment they are listening, and he must speak. What a hurry I am in to quit this platform, on which I have really no right to appear, to leave room for all the people behind me who are going to appear, one after another, in the magnificent trappings of verse —the twelve Apostles, Saint Nicholas, St. Benedict, St. Louis and many others with them, amid the rich hangings of our great liturgical feasts. How speak of this book that has moved me to tears, these pages to which I return time and again as to a missal full of pictures and bookmarks? There are some for all the days of the year and for all the seasons—here we weep, and there we rejoice with the Church. It begins on a certain Sunday morning with a large sign of the Cross, and it closes at the foot of the Cross on the eve of a Sunday still more glorious. From the first to the last page, this volume is but a long and beautiful prayer, the breathing of a soul that has no other goal but God. "There is not in this speech, word or sound, pause or meaning. Nothing but a cry, the modulation of joy, joy in a cry that rises and falls. O God! I hear my wild soul in me weeping and singing."

As to the merits of the translation, you know, Sister, what I think of it. The French text presented certain problems which might have appeared insoluble if you had not attacked them in that spirit of faith and humility that overcomes the highest mountains. It is not easy to pour into the mold of a foreign tongue a thought so new and daring in expression that it would seem incapable of surviving such a decanting. You have not recoiled before any difficulty, and you have succeeded.

I wish for this book a glorious career, because it answers a need. Doubtless it was not written yesterday, but age has taken from it none of its freshness, nor its timeliness. It comes at the right moment. It will reveal Paul Claudel to those who could not or dared not approach him because of their ignorance of the French language—unless they were the victims of those accusations of obscurity that have for so long been attempting to blur this torch. The book will arouse in such readers genuine artistic emotions. I hope above all that they will retain its essential message and preserve that, to the exclusion of all the rest. This is the dearest wish of my father—who today, in the horror of a sojourn shared with the enemy, pursues a task already huge—a man who has never deviated from his path: that "interrupted path" of which he speaks somewhere, whose paving stones he stumbled upon amid the weeds at the turning point of adolescence.

The message of Claudel you know better than anyone, Sister, and your work completes, in spreading it, that of a poet who means above everything else to be a great Christian, who wrote from Washington some years ago to Jacques Maudaule: "How I wish that Claudel the author might disappear completely and that beneath the laughable disguise of the writer would be seen only the man who is positively there; that is to say, the servant of God, impassioned with the glory, with the truth, with the love of God."

New York, Summer 1943

PIERRE PAUL CLAUDEL

TRANSLATOR'S NOTE

This translation of *Corona benignitatis anni Dei* would never have been completed, were it not for the generous encouragement given me by my Superiors and Sisters of the School Sisters of Notre Dame. Almost equally beyond expression is my debt to the Reverend Marie-Alain Couturier, O.P., an artist and writer whom Paris and Rome have lent to New York and Baltimore. To the Reverend Francis P. LeBuffe, S.J., editor of long experience and author of *Let Us Pray* series; to M. Pierre Claudel, the gifted son of the poet; to Mr. C. G. Paulding, editor of *The Commonweal;* and to Miss Florence S. Hellman, chief bibliographer of the Library of Congress, I can only express my gratitude and the hope that they have enjoyed their association with M. Claudel's poetry as much as I have.

S. M. D.

College of Notre Dame of Maryland
Summer, 1943

BENEDICES CORONAE ANNI BENIGNITATIS TUAE;

ET CAMPI TUI REPLEBUNTUR UBERTATE.

Psalm 64

TO MY MOTHER AND MY FATHER

THIS TRANSLATION IS DEDICATED

WITH LOVE

LA PREMIÈRE PARTIE DE L'ANNÉE

THE FIRST PART OF THE YEAR

PRIÈRE POUR LE DIMANCHE MATIN

Amen ! Au nom du Père et du Fils et du Saint Esprit ! Je suis prêt, c'est moi !
Mon Dieu, je suis ressuscité et je suis encore avec Toi !

Je dormais et j'étais couché ainsi qu'un mort dans la nuit.
Dieu dit : Que la lumière soit ! et je me suis réveillé comme on pousse un cri !

J'ai surgi et je me suis réveillé, je suis debout et je commence avec le jour qui commence !
Mon père qui m'avez engendré avant l'Aurore, je me place dans Votre Présence.

Mon cœur est libre et ma bouche est nette, mon corps et mon esprit sont à jeun.
Je suis absous de tous mes péchés que j'ai confessés un par un.

L'anneau nuptial est à mon doigt et ma face est nettoyée.
Je suis comme un être innocent dans la grâce que Vous m'avez octroyée.

Que Vous demander, qui ne pouvez me donner ce qui n'est pas à Vous !
Cette pièce d'or marquée du nom de César et cette parole en qui je plaise à tous.

PRAYER FOR SUNDAY MORNING

In the Name of the Father and of the Son and of the Holy
    Ghost. Amen.
My God, I am living once more and I am with Thee again!

I was sleeping, lying abed like a man wrapped in his shroud.
God said, "Let there be light!" and I awoke, as one cries
    aloud.

I started up and awoke. I stand, and begin with the morning's
    beginning.
My Father Who begot me ere the Day-star, I call from Thy
    planet here spinning:

My heart is free and my mouth is clean; I am fasting, both
    body and soul.
I am absolved from my sins, for I confessed them, singly and
    whole.

The wedding ring is on my finger; my face from defilement
    is free.
I am as an innocent creature in the grace Thou hast lavished
    on me.

What to ask Thee, Who canst give nothing that is not Thine—
A coin with the image of Caesar or a speech to make hearts
    incline?

17

Mais je vais avoir le soleil même, j'ouvre les bras à votre
dimension.
Je regarde au plus haut du ciel un point d'or comme au jour
de votre Ascension.

J'accepte ce monde tel qu'il est et je n'ai rien à y changer.
Seigneur, donnez-moi seulement Vous-même et c'est assez.

Superposez aux Six jours le Septième que Vous Vous êtes
réservé.
Ah, ce n'est point Samedi, c'est Dimanche, et le coup de la
première messe va sonner !

Lucifer brille tout seul au milieu de l'Orient désert et nouveau.
Le coq chante et Marie-Madeleine se hâte vers le tombeau.

Diamant de l'air qui éclôt ! naissance du jour réel !
Vous arrivez à la fin, matin de mes noces éternelles !

Le temps est court et le soleil sera levé dans un moment.
C'est pourquoi, ce que nous avons à faire, faisons-le inces-
samment.

Comme le prêtre grave et prompt qui se recueille et s'habille
pour le Saint Sacrifice,
Armons-nous sans hâte ni délai pour cette part qui est de notre
office.

Comme un homme qui vient d'être fait, comme une invention
toute neuve et intacte,
Toute puissance en moi a son objet et toute prière est un acte.

But I will have even the sun—I fling my arms wide to Thy measure!
For, as once on Ascension Day, the zenith is gold with Thy treasure!

I accept this world as it is: I would alter no whit of its stuff.
Lord, give me only Thyself, and it is enough!

Over the six days place the seventh, which is Thine own.
This is Sunday, not Saturday, and the Mass-bell will soon intone.

The day-star is shining alone at the heart of the east in gloom.
The rooster crows and the Magdalen hurries out to the tomb.

Diamond of air in flower! Birth of the day, sublime!
At long last you have come, my marriage-day beyond Time!

But moments fly and the sun will be gilding the heaven's blue.
Wherefore, let us do at once the business we have to do.

Like a priest recollected and prompt who is vesting himself for Mass,
Let us arm without haste or delay, that we bring our service to pass.

Like a man who has just been made, a creation new and intact,
Every power of mine has a purpose, and every prayer is an act.

Dieu qui êtes Un seul en Trois Personnes, Relation sur qui le
  Christ est en croix,
Verbe en qui tout est parole, ce que Vous dites, je le crois.

Vous êtes la Parole donnée et clouée de clous de fer.
Le Titre en qui j'ai mis mon Espoir, je le fais de mes deux bras
  ouverts !

Je suis le doigt sur Votre plaie, je suis la main à Votre cœur
  même.
Vous qui êtes le Tout-Puissant, Vous ne pouvez empêcher que
  je Vous aime.

Que le rite prompt s'accomplisse en qui je communique à Votre
  éternité.
Rien n'est trop court pour cet instant de Dieu en nous qui ne
  peut être divisé.

Gardons ce serment entre nous ! scellez-moi de peur que je ne
  me dissipe.
Humanité de Dieu sur ma langue, consignez mon cœur et mon
  principe.

En ce Septième Jour que Vous fîtes, Seigneur,
Quel est Votre repos, si ce n'est dans mon cœur ?

O God Triunal, Thou Union where the Crucified hangs in
 duress,
Word in Whom all is speech, the truth Thou hast said I confess.

Thou art the given Word, and with nails of iron nailed:
The sign that contains my Hope I make with two arms out-
 flailed!

The touch on Thy wounds am I—the hand at Thy very heart.
Omnipotent though Thou be, Thou canst not make my love
 depart.

Swift be the rite to effect that I share Thine eternity:
For one indivisible instant God dwells in the temple of me!

Let us keep this pledge of our love! And, lest I should dis-
 sipate
My powers, O Manhood of God on my tongue, seal my being
 that Thou didst create!

On this seventh day that Thou, O my Master, hast set apart,
Where wouldst Thou find Thy rest, were it not in my heart?

CHANT DE L'ÉPIPHANIE

En ce petit matin de l'An tout neuf, quand le givre sous les
 pieds est criant comme du cristal,
Et que la terre en brillant, future, apparaît dans son vêtement
 baptismal,
Jésus, fruit de l'ancien Désir, maintenant que Décembre est
 fini,
Se manifeste, qui commence, dans le rayonnement de l'Épi-
 phanie.
Et l'attente pourtant fut longue, mais les deux autres avec
 Balthazar
A travers l'Asie et le démon cependant se sont mis en marche
 trop tard
Pour arriver avant la fin de ce temps qui précède Noël,
Et ce qui les entoure, c'est déjà le Six de l'Année nouvelle !
Voici l'étoile qui s'arrête, et Marie avec son Dieu entre les
 bras qui célèbre !
Il est trop tard maintenant pour savoir ce que c'est que les
 ténèbres !
Il n'y a plus qu'à ouvrir les yeux et à regarder,
Car le Fils de Dieu avec nous, voici déjà le douzième jour
 qu'Il est né !

Gaspard, Melchior et le troisième offrent les présents qu'ils
 ont apportés.
Et nous, regardons avec eux Jésus-Christ, en ce jour, qui nous
 est triplement manifesté.

HYMN FOR EPIPHANY

This very early morning of the very new year, when the frost
    underfoot is bright as crystal globes,
And the earth attired in it is scintillant with cheer, a lovely
    apparition in her fair baptismal robes,
Now that December passes, Jesus, Fruit of all desire,
Shows Himself, beginning, in Epiphany's gay fire.
The waiting has been lengthy, but Balthasar and the rest
Through Asia and the devil too tardily have pressed
To come before the ending of the precious Advent-time
And now six days have vanished since we heard the New Year's
    chime.
But see! The star has tarried, Mary holds her God within her
    arms!
It is too late now to think of darkness and mysterious alarms.
We have but to open our eyes and brush the mist away:
The Son of God is born to us—and this is the twelfth day!

Caspar, Melchior and the third their gifts on Him have pressed.
With them, let us see Jesus Christ, now triply manifest.

Le mystère premier, c'est la proposition aux Rois qui sont en
même temps les Sages.

Car, pour les pauvres, c'est trop simple, et nous voyons qu'autour
de la Crèche le paysage

Tout d'abord avec force moutons ne comporte que des bonnes
femmes et des bergers

Qui d'une voix confessent le Sauveur sans aucune espèce de
difficulté.

Ils sont si pauvres, que cela change à peine le bon Dieu,

Et son Fils, quand Il naît, se trouve comme chez Lui avec eux.

Mais avec les Savants et les Rois c'est une bien autre affaire !

Il faut, pour en trouver jusqu'à trois, remuer toute la terre.

Encore est-il que ce ne sont pas les plus illustres ni les plus
hauts,

Mais des espèces de magiciens pittoresques et de petits sou-
verains coloniaux.

Et ce qu'il leur a fallu pour se mettre en mouvement, ce n'est
pas une simple citation,

C'est une étoile du Ciel même qui dirige l'expédition,

Et qui se met en marche la première au mépris des Lois
astronomiques

Spécialement insultées pour le plus grand labeur de l'Apolo-
gétique.

Quand une étoile qui est fixe depuis le commencement du
monde se met à bouger,

Un roi, et je dirai même un savant, quelquefois peut consentir
à se déranger.

C'est pourquoi Joseph et Marie un matin voient s'amener Gaspard, Melchior et Balthazar,

Qui, somme toute, venant de si loin, ne sont pas plus de douze
jours en retard.

Mère de Dieu, favorablement accueillez ces personnes hon-
nêtes

The first mystery is the showing to the Kings, also the Wise.
For the poor it is just too easy. We remark with no surprise
That around the Crib the whole country holds shepherds in
    numbers that ever redouble,
With one voice confessing the Saviour, and having no sort of
    trouble.
So poor are they that to God the stooping is slight to contemn:
And His Son, when He is born, is at once at home with them.
But with wise men and with kings it is quite another affair!
To find even three of them, He must search the whole earth with
    care.
And besides, these three are not the most powerful nor the most
    famed,
But a sort of much-touted magician, their realms in small boun-
    daries framed!
Merely to put them in motion required not a simple direction,
But an actual star of heaven to challenge their course to per-
    fection,
A star which first deranged astronomical laws splenetic—
Purposely thus deranged—for the labor of Apologetics.
When a star fixed from the beginning of the world for travel-
    ing shows intent,
A king—or even a wise man—to moving may sometimes con-
    sent!
That is why Joseph and Mary one morning saw coming in
    state
Balthasar, Caspar and Melchior, far-traveled, just twelve days
    late!
Mother of God, graciously extend to these pilgrims welcome,

25

Qui ne doutent pas un seul moment de ce qu'elles ont vu au
bout de leurs lunettes.

Et ce qu'ils vous apportent à grand labeur du fond de la Perse
ou de l'Abyssinie,

Tout de même ce sont des présents de grand sens et de grand
prix :

L'or, (qu'on obtient aujourd'hui avec les broyeurs et le cy-
anure),

Et qui est l'étalon même de la Foi sans nulle fraude ni rog-
nure ;

La myrrhe, arbuste rare dans le désert qu'il a fallu tant de
peines pour préserver,

Dont le parfum sépulcral et amer est le symbole de la Charité ;

Et, pincée de cendre immortelle soustraite à tant de bûchers,

L'unique once d'encens, c'est l'Espoir, que Melchior est venu
vous apporter,

Au moyen de mille voitures et de deux-cent-quatre-vingts cha-
meaux à la file,

Qui sans aucune exception ont passé par le trou d'une aiguille !

La deuxième Épiphanie de Notre-Seigneur, c'est le jour de
Son baptême dans le Jourdain.

L'eau devient un sacrement par la vertu du Verbe qui S'y joint.

Dieu nu entre aux fonts de ces eaux profondes où nous sommes
ensevelis.

Comme elles Le font un avec nous, elles nous font Un avec
Lui.

Jusqu'au dernier puits dans le désert, jusqu'au trou précaire
dans le chemin,

Il n'est pas une goutte d'eau désormais qui ne suffise à faire
un chrétien,

Et qui, communiquant en nous à ce qu'il y a de plus vital et
de plus pur,

For they doubt not a single moment of what their spy-glass
    has shown!
And what from the depths of Persia they bring you with such
    great labor
Are meaningful, costly presents quite worthy acceptance with
    favor:
Gold (that is obtained today with grinding and cyanide)
Which is the very standard of faith without fraud or pride;
Myrrh, rare shrub of the desert, that with gold has parity:
For, carefully kept, its perfume is symbol of charity;
And, pinch of immortal ashes extracted from so many pyres,
The single ounce of incense is hope, that Melchior's desires
Have brought, in a thousand wagons and a two-hundred-camel
    train,
All passed through the eye of a needle without any stress or
    strain!

The day of baptism in Jordan is the second showing of Our
    Lord,
When the water becomes a sacrament by grace of its meeting
    the Word.
God enters the springs of deep waters where we are compelled
    to swim
And making Him one with us, they have made us one with
    Him!
In the very last well of the desert, in the chance hole on the
    road,

Not a drop of water since then but has had the virtue bestowed
That it could make a Christian, and penetrating far

Intérieurement pour le Ciel ne féconde l'astre futur.

Comme nous n'avons point de trop dans le Ciel de ces gouffres illimités

Dont nous lisons que la Terre à la première ligne du Livre fut séparée,

Le Christ à son âge parfait entre au milieu de l'Humanité,

Comme un voyageur altéré à qui ne suffirait pas toute la mer.

Pas une goutte de l'Océan où Il n'entre et qui ne Lui soit nécessaire.

« *Viderunt te Aquæ, Domine* », dit le Psaume. Nous Vous avons connu !

Et quand du milieu de nous de nouveau Vous émergez ivre et nu,

Votre dernière langueur avant que Vous ne soyez tout-à-fait mort,

Votre dernier cri sur la Croix est que Vous avez soif encore !

Et le troisième mystère précisément, c'est à ce repas de noces en Galilée,

(Car la première fois qu'on Vous voit, ce n'est pas en hôte, mais en invité),

Quand Vous changeâtes en vin, sur le mot à mi-voix de Votre Mère,

L'eau furtive récelée dans les dix urnes de pierre.

Le marié baisse les yeux, il est pauvre, et la honte le consterne :

Ce n'est pas une boisson pour un repas de noces que de l'eau de citerne !

Telle qu'elle est au mois d'août, quand les réservoirs ne sont pas grands,

Toute pleine de saletés et d'insectes dégoûtants.

(Tels les sombres collégiens qui sablent comme du champagne

Within our souls could nourish for Heaven a future star!
As the stars are scant in the Heaven of all those limitless
    spaces
Of which, when they parted from earth, the Book in its history
    traces,
Into the midst of men Christ entered, at height of His graces,
Like a traveler distraught who could not have enough of the
    sea.
Not a drop of the ocean exists untouched by His charity.
Viderunt Te aquae, Domine, says the Psalm... Thee have we
    known!
And when from the midst of us Thou emergest again, alone,
Stripped and absorbed, Thy weakness before death has had
    its will
And Thy last cry on the cross is that Thou art thirsty still!

The third mystery truly, is at Galilee's wedding repast
(For the first time that we see Thee, it is not as Host, but as
    Guest)
When Thou dost change into wine, on Thy Mother's whispered
    word,
The secret water there in the ten stone wine-jars stored.
The bridegroom lowers his eyes. He is poor and oppressed
    with woe:
For cistern water is hardly the drink for a marriage, you
    know,
Such as it is in August when the reservoirs are low,
All filled with impurities and with insects, not fit to show.
(Such are the gloomy collegians, who toss off like heady cham-
    pagne

Tout Ernest Havet liquéfié dans les fioles de la Saint-Charle-
magne !)
Un mot de Dieu suffit à ces vendanges dans le secret,
Pour que notre eau croupie se change en un vin parfait.
Et le vin d'abord était plat, à la fin voici le meilleur !
C'est bien. Ce que nous avons reçu, nous Vous le rendrons
tout-à-l'heure.
Et Vous direz si ce n'est pas le meilleur que nous avons ré-
servé pour la fin,
Ce nectar sur une sale éponge, tout trempé de lie et de fiel,
Qu'un commissaire de police Vous offre pour faire du zèle !

L'Épiphanie du jour est passée et il ne nous reste plus que
celle de la nuit,
Où l'on fait voir aux enfants les Mages qui redescendent vers
leur pays,
Par un chemin différent, tous les trois en une ligne oblique.
C'est un grand ciel nu d'hiver avec tous ses astres et astér-
isques,
Un de ces ciels, blanc sur noir, comme il en fonctionne au
dessus de la Chine du Nord et de la Sibérie,
Avec six mille étoiles de toutes leurs forces ! les plus grosses,
qui palpitent et qui télégraphient !
Quel est parmi tant de soleils celui qu'un ange arracha comme
une torche au hasard.
Pour éclairer le chemin où procèdent les trois Vieillards ?
On ne sait pas. La nuit est redevenue la même et tout brûle
de toutes parts en silence.
Le livre illisible du Ciel jusqu'à la tranche est ouvert en son
irrésistible évidence.
Salut, grande Nuit de la Foi, infaillible Cité astronomique !

Ernest Havet dissolved in phials of Saint-Charlemagne!)
A single word of God for this vintaging can suffice,
So that our stagnant water becomes a wine beyond price.
Though the wine at first was flat, in the end behold the best!
Good. What we have received, we return with interest:
And Thou shalt say if it is not the best we have kept after all—

This nectar on a filthy sponge, soaked deep in vinegar and
    gall,
That a policeman tenders to Thee on Thy final call!

The Epiphany of daylight is gone. There remains only that of
    the night,
When we point out to the children the Magi who go, honor-
    bright,
Home by a different route, all three in a slanting line.
There is a great bare winter sky with all its stars for a sign.
One of those white-and-black skies, as over North China and
    Siberia,
With six thousand brilliant, big stars which scintillate dashes,
    mysterious!
Which of these numerous suns was seized in an angel's hand
Like a torch, to light the Wise Men over so many leagues of
    sand?
No one knows. The night is again the same and burns in
    quiet, intense.
To its edge, the illegible book of the sky lies wide with re-
    sistless evidence.
Hail, great Night of the Faith, infallible starry City!

C'est la Nuit, et non pas le brouillard, qui est la patrie d'un catholique,

Le brouillard qui aveugle et qui asphyxie, et qui entre par la bouche et les yeux et par tous les sens,

Où marchent sans savoir où ils sont l'incrédule et l'indifférent,

L'aveugle et l'indifférent dans le brouillard sans savoir où ils sont et qui ils sont,

Espèces d'animaux manqués incapables du Oui et du Non !

Voici la nuit mieux que le jour qui nous documente sur la route

Avec tous ses repères à leur place et ses constellations une fois pour toutes,

Voici l'An tout nouveau, le même, qui se lève, avec ses millions d'yeux tout autour vers le point polaire,

Ton siège au milieu du Ciel, ô Marie, Étoile de la Mer !

It is the night, and not the mist, which is a Catholic's home-
land:

The mist that blinds and stifles mouth, eyes and every sense,

In which they walk without knowledge, in unbelief or indif-
ference—

The blind and the careless—in the mist. Where or who they
are they don't know,

A sort of unfinished animal, incapable of Yes or of No.

This is the night that better than day informs us about our
route,

With its landmarks all in their places and its constellations set
to suit.

Here is the fresh New Year, eyes fixed on the polar star in
glee:

Thy throne in the midst of the sky, O Mary, Star of the Sea!

LA PRÉSENTATION

Quand Marie se met en marche, et, les Quarante Jours com-
plétés,

Monte au Temple de Jérusalem pour y mettre son Fils premier-né

Entre les bras du Grand Prêtre qui est qualifié pour représenter
toute l'Expectation antique,

A part ce très-vieux homme, à part Anne la dévouée dans un
coin de la basilique,

Qui espère l'Espérance encore et qui est-ce qui lit les Prophètes ?

C'est en vain que Daniel a prédit le temps, et Michée le lieu,
et que l'histoire complète,

Avec le nom même de Jésus à chaque ligne, se trouve dans
David et dans Isaïe,

Tout ça, c'est des histoires de bouquins et des superstitions de
sacristie.

C'est bien plus intéressant de lire le journal et de faire de la
politique contre les Romains.

Aussi convient-il à ce temps de l'An qui croît et à ce froid
crépuscule du matin

Que cette transmission de pouvoirs qui se fait de la Synagogue
à l'Église

Ait quelque chose de rapide et presque de clandestin.

Je vois Marie sans forme ni visage sous son capuchon et son
manteau tout trempé de laine grise,

Tel à peu près qu'en portent aujourd'hui les Petites Sœurs des
Pauvres et les Clarisses.

Je vois le ciel noir avec à l'Est une seule raie couleur de
citron,

THE PRESENTATION

When Mary sets forth, the forty days being complete,
That high in Jerusalem's Temple her first-born Son, as is
    meet,
May be laid in the High Priest's arms, as in those of all the
    old Expectation—
Apart from this aged man, besides Anna, who has made in a
    corner her station—
Who still hopes the ancient Hope, and who in the Prophets
    reads deep?
In vain has Daniel predicted the time, Micheas the place.
    Vainly does history sweep,
With Jesus' Name in each line, through Isaiah's and David's
    verses:
Those are only old wives' tales that the sacristy disburses.
It is far more exciting to read the paper and to plot against
    the Romans.
Moreover, it is quite fitting at this gusty time of the year
That this transmission of power from Synagogue to the Church
Breathe an air of haste, a suggestion of secrecy and of fear.
I see Mary invisible and shapeless, in wet mantle and hood
    of grey,
Such a garb as the Little Sisters and the Poor Clares wear
    today;
I see the black sky with one gleam of a lemon-bright ray out-
    lined;

Je vois Joseph avec (le prix est dessus encore) les deux colom-
bes dans une cage de jonc,

Et le vieux prêtre d'or, avec l'enfant dedans, sur le seuil, qui
chante le *Nunc dimittis*.

Lumen ad revelationem gentium ! la lumière pour la révéla-
tion des gens !

Non point le soleil propre à tout qui sur tous reluit indifférem-
ment,

Mais le feu confidentiel et fragile d'un cierge pur

Qui nous sert moins à voir qu'à faire voir notre figure.

Faites qu'aujourd'hui, Seigneur, nous recevions en grande
pureté

Cette espèce d'ange portatif qui nous guide au travers de
l'année,

Image du Verbe splendide, le Fils indivisible du Père,

La Sagesse qui est issue avant l'étoile lucifère !

Cette longue semence blanche que nous recevons en grand
secret

Du feu, à la messe basse de sept heures, quand apparaît

Aux fenêtres la face pâle et menaçante de l'hiver

(Il y a un enfant malade à la maison et j'attends de mauvaises
nouvelles de mon père,)

Cette semence du jour futur et de l'éternel Désir

Que nous recevons dormante et ensevelie dans la cire,

Qu'elle s'enracine jour à jour à la fois dans notre corps et dans
notre âme,

Réduisant le corps à la cendre, aspirant l'esprit dans la flamme !

I see Joseph (the price still on the cage) bearing two doves confined

And the old golden priest at the door, with a Child on his heart, singing the *Nunc dimittis*.

Lumen ad revelationem gentium! For the gentiles' perception, a light!

Not the all-embracing sun that is so indiscriminately bright,

But the delicate, trustful flame of a candle surpassingly pure,

More useful for showing the face than for making the road less obscure.

In purity may we receive, O Lord, on this Candlemas Day,

This sort of portable angel that leads us upon the year's way,

Symbol of the glowing Word, the Father's indivisible Son,

The Wisdom Who sprang forth before the day-star had begun!

This long white seed of fire that we secretly accept

At the seven o'clock low Mass, while the winter's feet have crept

All stealthily to the window (at home there is a sick child,

And I expect bad news of my father) this seed of a future undefiled,

Of an eternal hope, that we take thus buried in wax,

May it root itself ever more deeply as age makes our limbs relax!

May it permeate all of our bodies, diffuse through our spirits His Name,

Till it crumbles the framework to ashes and has ravished our souls in its flame!

HYMNE DE SAINT BENOIT

† PAX.

Benoît, quand il sort de l'enfance, entend cette parole de blâme
      Que nous adresse Jésus-Christ :
« Tous les biens de ce monde à l'homme, s'il perd son âme,
      Sont des choses de nul prix » ;
Si ses rêveries au hasard, ses passions et ses pensées,
      Comme les chèvres qui vont paître,
De çà de là, par haut par bas, rebelles et dispersées,
      Sont les maîtresses de leur maître.
Pour la laisser ainsi se rompre et s'éparpiller,
      Avons-nous donc une âme de rechange ?
Eaux adultères ! coupe en amertume tournée !
      N'est-il source en nous que de fange ?
— Et c'est pourquoi Benoît se met en marche, crosse en main,
      Poussant ses ouailles indociles,
Par la voie invisible et sûre, ce chemin
      Etroit, qui est le plus facile,
Car le désert est grand, et le marécage est immense.
      Mais la route est mince et unique.
Qui l'a une fois quittée ne trouve que l'obstacle sans récom-
    pense,
      Et le sable au sable identique.
A droite, à gauche, âme en marche, renonce à ce double désert !
      Renonce, est-ce donc si dur ?
A la faim, à la soif, à la mort, à l'enfer !

HYMN OF SAINT BENEDICT

† PAX.

Benedict, growing into youth, hears the words that were whirled
    From Christ's lips, in control:
"What doth it profit a man if he gain the whole world
    And suffer loss of his soul?"
If his wandering daydreams, his passions, his thought,
    Like goats at their grazing,
Go hither and yon, dispersed and distraught,
    Any real herdsman crazing?
The soul we thus fritter and crumble away,
    Can we replace it?
Oh, treacherous draught! Cup curdled to whey!
    Are we bad? Let us face it!
Wherefore, Benedict moves on, with his crook
    Overshadowing his sheep,
On the dim but certain path by the brook,
    Which is easy, though steep.
For the desert is wide and the swamp unbounded,
    But the road swift-spanned;
Whoever has left it finds his hopes unfounded
    And sand on identical sand.
Right and left, pilgrim soul, renounce this twofold desert!
    Yet renunciation is hard—
Of hunger, of thirst, of death and of torment?

Qu'il est doux de se sentir sûr !
Sûr de son pied, sûr du chemin et de ce qui est au bout,
Sûr de cette croix solide,
Sûr de nos frères et de toute l'Église en marche autour de nous,
Sûr du Père qui nous guide !
Heureux qui a planté la croix au centre de son carrefour !
Heureux qui loge Dieu dans son cœur,
Et dont toutes les pensées vers Lui reviennent sept fois par
jour,
Ainsi que les moines au chœur !
Heureux cet homme régulier, cette âme associée de la chair,
Qui changea sa geôle en clôture,
Ce soldat noir qui ne perd jamais, bouclier double et scapu-
laire,
Contact avec sa sépulture.
Plutôt que de revenir à Dieu, il est plus simple de ne pas le
quitter.
Mon fils, écoute Saint Benoît.
On est plus sûr du pardon quand on tâche de le mériter.
On va plus vite en allant droit.
Et pourquoi tant se tourmenter à cause des choses de la terre,
Quand il est simple de ne rien avoir ?
Pourquoi tant discuter et parler, quand il est si facile de se
taire ?
Nous serons tous morts ce soir.
Mange ton Dieu et tais-toi ! Marche, travaille, obéis !
Ma grâce sur toi repose.
Et quand Dieu lui-même parle et dit que cela suffit,
Pourquoi demander autre chose ?
Plutôt que de vaincre Satan, il est plus simple de s'en garder.
L'acte vaut mieux que le sermon.
Plutôt que de lutter contre le monde, il est plus simple de ne
pas le regarder,

40

How sweet to have peace unmarred!
Our footfall, our path and our goal decided,
    Our cross most solid and sure,
Our brothers, our Church to this way confided,
    Our Father a guide secure!
Happy the man who has planted the cross at his pathways'
    source,
    Whose heart holds God at its fire,
All of whose thoughts to Him seven times a day have recourse,
    Like the monks in their choir!
Happy the disciplined man, that spirit companioning flesh,
    To cloister transforming his gaol,
Black soldier whose scapular-buckler preserves in his mem-
    ory fresh
    Death's vivid detail.
More simple to stay with God than to labor at making return—
    Saint Benedict knows, my son!
And a man is more sure of the pardon he has tried his best to
    earn:
    The straight way is the faster one.
Why worry so anxiously for the paltry things of earth
    One can well do without?
When silence is simple, why chatter on business of little worth?
    Death puts it to rout.
Eat of your God, and be still! Walk, labor, obey!
    My grace with you rests.
Although God Himself has spoken, approved this way,
    You make other requests?
More simple to turn from Satan than to vanquish him in the
    field;
    Deeds, not speeches, are good.
More easy than fighting the world is to leave it unrevealed

Et de tirer son capuchon.

Puisque Dieu lui-même y demeure, et nous, pourquoi sortir de
son temple ?

Pourquoi regretter le Chaos ?

Et puisque notre bonheur dans le Ciel sera de chanter tous
ensemble,

Pourquoi ne pas commencer aussitôt ?

Si le bonheur dans le Ciel est d'aimer, pourquoi maintenant
la guerre ?

Pourquoi, frères, nous séparer ?

Apportons l'un à l'autre nos voix, l'une par l'autre nécessaires
A l'accord réintégré.

Heureux les fils de Saint Benoît qui sont tous ensemble avec
lui !

Heureux le disciple secret,

De qui sans paroles émane, comme quelqu'un qui dit oui,
Le consentement à la paix !

And to raise one's hood.
From the temple where God indwells, why should we go forth?
    Is chaos so dear?
Since we will gather in Heaven to sing, from west, east, south
  and north,
    Why not practise here?
If the bliss of our Heaven is love, why war at this date?
    O my brothers, why part?
Let us each lend the other his voice: in community state
    A new harmony start.
Happy Saint Benedict's sons, in their vows' duress!
    O happy release
Of the hidden disciple, whose heart in its silent "Yes"
    Consents to peace!

L'Abbesse, seule éveillée parmi le peuple de ses brebis,

Ecoute son frère qui parle et qui ne sait pas qu'il est minuit.

Son frère, c'est Saint Benoît, patriarche des Moines d'Occident.

Scolastique le regarde et tremble et loue Dieu qui l'a rendu si grand !

Elle a fait ce qu'il lui a commandé de faire et elle sait que c'était bien,

L'Abbesse dans le grand vestige de l'Abbé, attentive jusqu'à la fin.

Maintenant ce n'est pas qu'elle écoute mot à mot et comprenne tout ce qu'il dit :

Benoît est avec elle simplement, et demain elle sera dans le Paradis.

Et de même que le soir, en ces temps où l'on met la table en plein air,

La lampe éclaire d'en dessous le noyer qui paraît vermeil et vert,

Avec sa tige et le feuillage frais rempli de fruits pondéreux,

L'arbre au dessus de la famille d'où sort un souffle ténébreux,

Tout de même dans l'ombre de Dieu et la stature de ce puissant qui la protège

Scolastique écoute son frère et ses paroles qui tombent comme de la neige !

Elle entend le nom de Jésus dans sa bouche et elle frémit :

SAINT SCHOLASTICA

Alone of her flock awake, the Abbess in secret delight
Listens to the words of her brother, who knows not it is past
   midnight.
Saint Benedict is her brother, patriarch of the monks of the
   West.
Scholastica, gazing, thanks God, Who has made him of stature
   so blest.
She has done what he told her to do and has found it a path
   good to wend—
An Abbess in the steps of the Abbot, attentive straight through
   to the end.
But now she is not really listening nor prizing his words at
   full price:
It is enough to have Benedict with her—and tomorrow, to Para-
   dise!
Just as, on summer evenings when the table is spread out-
   doors,
The lamp streaks the walnut tree with green and red gleams
   in scores
Where its trunk and its verdant foliage with heaviest nuts are
   filled
And above the family circle the tree breathes a breath half-
   stilled,
Even so, in the shadow of God and this man of whose strength
   she can know,
Scholastica listens to her brother, whose words fall as gently
   as snow.
On his lips she hears Jesus' Name and she quivers with joy
   like ice:

Il est là, c'est son dernier jour de la terre et demain elle sera dans le Paradis.

C'est fini. Que Dieu est grand et qu'il est magnifique d'être né !

Son frère, c'est Saint Benoît, elle a fait ce qu'il lui avait commandé.

C'est bien son tour à présent de lui faire faire ce qu'elle veut, ainsi que les femmes en ont l'art !

Il parle, et parfois s'interrompt, s'inquiète et il lui semble qu'il est tard.

Mais alors on entend ce grand vent et cette grande pluie

Qu'accorde à sa fille Scolastique Dieu qui est à qui le prie.

Elle sourit, Benoît cède, et attend avec patience et douceur,

Tout plein de textes et d'idées, et les yeux fixés sur sa sœur,

Que le tonnerre à son tour ait fini et lui permette de reprendre le fil.

Et c'est pourquoi le charretier à deux mains qui retient ses chevaux indociles,

Le meunier en toute hâte dans la nuit qui court pour lever les vannes de son écluse,

La barque qui fuit devant le temps comme une caille qui piète et ruse,

S'étonnent et ne comprennent rien du tout à c'te furie de tempête à tout casser,

Qui sans rime ni raison s'est tout-à-coup déchaînée,

Afin que les Anges tranquillement écoutent comme une musique

Benoît, pur comme un enfant, qui cause avec sa sœur Scolastique.

He is there, on her last day of earth—and tomorrow, to Paradise!

It is over. How great God is! How wonderful to have been
born!

Her brother is *Saint* Benedict! His advice she has loyally borne;

Now it is her turn to see that he follows her woman's will:

For he stays in his speech, unquiet for fear it be late. All is
still.

But then come the wind and the torrent of highly auspicious
rain

Bestowed on His daughter Scholastica by a God not entreated
in vain.

She smiles and Benedict waits, with patience and gentleness
mixed,

All full of texts and ideas, his eyes on his sister fixed,

For the thunder in turn to stop and let him take up the thread.

That is why the wagoner who strains at his horse's head,

The miller at haste in the dark to raise the gate of his sluice,

The boat that is dodging the tempest like a partridge trying a
ruse,

Are amazed and comprehend naught of this most unexpected
gale

That flings them all helter-skelter with a force to make Atlas
quail—

In order that angels may listen to his words, with enthusiastic a

Zeal as Benet, pure-hearted, who talks with his sister, Scholastica.

HYMNE DE LA PENTECÔTE

Avant qu'il ne remonte au ciel à l'heure de midi,
Le Seigneur avertissant ses apôtres, leur dit :
« Après dix jours vous recevrez l'Esprit consolateur.

« Maintenant votre cœur est affligé parce que je retourne à
   mon Père,
« Mais il ne faut pas pleurer, petits enfants, car je vous an-
   nonce un grand mystère ;
« Vous êtes mes enfants bien-aimés et je ne vous appelle plus
   mes serviteurs.

« Il faut que je vous ôte mon visage un moment afin que vous
   receviez mon âme,
« Afin que vous receviez mon cœur avec votre cœur, afin que
   vous receviez mon âme avec votre âme
« Et l'Esprit qui répète ce qu'il entend. »

C'est pourquoi dix jours après l'Ascension et sept fois sept
   jours après Pâques,
Toute l'Église autour de Marie notre mère unie en Pierre,
   Jean et Jacques,
Entendit l'Esprit qui fondait sur elle comme une cataracte et
   la langue de Dieu sur nous avec un cri éclatant !

PENTECOSTAL HYMN

Before He ascends to Heaven at the hour of noon,
The Master to faithful Apostles is promising a boon:
"The Spirit, the Comforter, in ten days you shall receive.

"Now your heart has sorrow because I go to My Father.
But weep you not, little children, for I tell you a mystery,
    rather:
You are no longer My servants, but My friends, because you
    believe.

"Expedient it is that My person depart, for I send you My
    soul,
That you may embrace My heart with your heart, My soul
    with your soul,
And the Spirit Who tells what things He has heard."

Wherefore, ten days past the Ascension, seven weeks since
    Easter having gone,
Around Mary clustered, the Church, in guise of Peter, James
    and John,
Feels the Spirit of God like a torrent and His speech like a
    resonant word!

O soleil de la lumière de Dieu avec nous ! ô beauté de la
   lumière de Dieu qui a été conçue avant l'aurore !
Le corps a été purifié par l'eau, l'eau est clarifiée par l'esprit
   sonore !
Quoi ! ce n'était point assez de l'eau, mais voici la recréation
   du feu agile et clair !

Venez, Esprit créateur ! la grâce achève la nature !
L'Esprit gratuit en ce jour libère la créature !
La vieille loi est caduque et l'Enfant de Dieu rompt ses fers !

Quant à moi j'accueillerai le prodigieux sacrement !
Je sais que le rite nouveau succède à l'antique document,
L'amour dévore la crainte, la gloire absorbe la mort !

Jésus en qui tous les temps ont consommation,
Comme il nous a donné sa naissance nous partage sa résur-
   rection.
Aujourd'hui comme hier et demain il est avec nous encor !

Mille et neuf cents ans ont passé depuis la première Pentecôte,
Mille et neuf cents ans depuis que dans la salle vaste et haute
Les communiants du calice furent les convives de la flamme
   ardente !

Nous, prenons place à notre tour au banquet de l'amour éternel.
Hommes de Galilée, que regardez-vous dans le ciel ?
Vous voyez que le Seigneur est avec nous, dressons en ce lieu
   trois tentes !

O sun of God's light among us! O splendor of His light, conceived before day!
The body with water is cleansed and water with the spirit's play!
Nay, water could not suffice, He must recreate with swift fire.

Creator Spirit, come! May grace bring fulfillment to nature!
For freely upon this day the Spirit is freeing the creature,
The old law is broken with age—God's child bursts his chains with desire!

As for me, I embrace with joy the marvelous sacrament!
I know that a new rite succeeds to the ancient document,
That love has swallowed up fear and glory has conquered death!

Jesus, in Whom all time has swept to its being's perfection,
As once He gave us His birth, has shared with us resurrection:
As yesterday and tomorrow, the world vibrates with His breath.

A thousand and nine hundred years have passed since the first Pentecost.
One thousand, nine hundred years, since under the rafters high-crossed,
The communicants of that chalice companioned a living flame!

Let us in our turn take place at the feast of eternal love!
Ye men of Galilee, why gaze at the sky above?
Let us build three tabernacles—our Master is here, the Same!

Comme une nouvelle armée dont la première ligne débouche
    dans la lumière,
Notre génération en bon ordre entre dans la grâce plénière,
De nouveau la parfaite foi étreint la parfaite évidence.

Tonnez au-dessus de notre front, cloches énormes de la solen-
    nité !
Annoncez-nous la Fête double-majeure, la férie de la Vérité,
Le soleil à son heure de Sexte qui brille au centre de la cir-
    conférence.

Ah ! guérissez cet œil mortel ! ressuscitez ce cœur qui dort !
Venez, Esprit dévorateur ! venez, ô mort de la mort !
Plénitude d'efficacité dans la plénitude de surabondance !

Vous êtes flamme et vous ne me brûlez pas !
Vous êtes eau et vous ne me rassasiez pas !
Vous ne faites aucun mal à votre créature misérable.

Aucune violence avec vous, point d'éclair qui terrasse et qui
    meurtrit.
Votre présence seulement dans le cœur profondément attendri,
Votre cœur dans notre cœur comme un sceau rompu et comme
    un parfum inénarrable !

Comme le vase rompu de la pécheresse dont la bonne odeur
    remplit toute la maison !
Jamais plus nous ne remettrons notre cœur ensemble, jamais
    plus nous ne guérirons !
Jamais plus Vous ne direz pareil celui qui Vous aime à ceux
    qui ne Vous ont aimé pas !

Like a new army whose van has just emerged into light,
In good order our generation steps into grace full-bright:
Once more has a perfect faith on a perfect proof held sure.

Thunder above our heads, great bells of this holy day!
For double-major the feast, feria of Truth's straight way.
The sun at the hour of Sext gleams, brighter than sight can
   endure.

Ah, heal Thou my mortal eyes! Awaken my sleeping heart!
Devouring Spirit, come! And death unto death impart!
O Fullness of power that lives in fullness of sheer excess!

Thou art flame and Thou dost not destroy!
Thou art water, but dost not cloy!
No harm at all dost Thou do to Thy creature in dire distress.

No violence dost Thou show, with no lightning of Thine are
   we bruised;
But just by Thy gentle presence are our hearts with deep love
   suffused—
Thy heart within ours like a broken seal and a perfume re-
   leased,

Like the sinner's shattered vase, the good odor the whole house
   through.
Never more shall our hearts be whole, nor we heal them, what-
   ever we do.
Never more wilt Thou liken Thy lover to those who have loved
   Thee least.

Comme ce bon homme jadis qui reçut Jésus en grand mystère,
L'âme dans un humble étonnement écoute la parole septénaire,
Et les choses qu'il a entendues, l'Esprit les lui répète tout bas.

Elle a trouvé la paix et la vertue du Seigneur l'obombre.
Elle est comme la simple servante assise dans une chambre
    sombre,
Elle n'argumente point avec Vous et fait tout ce que Vous
    lui dites.

La grâce de Dieu est sur elle qui surpasse toute grâce humaine !
Non point Dimanche seulement, mais chaque jour de la semaine,
Son époux est avec elle au-dedans de la porte interdite.

Comme Anne et Joachim quand ils se rencontrèrent sous la
    Porte Dorée,
L'Esprit inspirateur s'unit à l'haleine créée
De l'épouse qui n'a rien au monde et qui offre sa bouche et
    son âme.

Venez, anxiété de l'amour, ô pointe qui détruit la paresse,
Esprit de la crainte de Dieu qui est le commencement de la
    sagesse,
Désespoir de ne point faire assez et vision de Votre blâme !

Venez, tendre piété, préférence sacramentelle et conjugale,
Et vous, jugement et goût, science du bien et du mal,
Et vous, force ingénue des Martyrs, sang rouge de la confes-
    sion qui monte au visage intrépide !

Like the good man of old who welcomed Jesus in secret,
So, humbly astonished, the soul hears sevenfold speech in
    quiet:
To her does the Spirit murmur the manifold things He has
    heard.

Peace she has found and the virtue of the Lord overshadows
    her being.
She is like the simple servant at rest in the twilight, half
    seeing,
Who never disputes your wishes but moves at your slightest
    word.

The grace of God is upon her, and all human graces are
    weak.
For not upon Sunday only, but seven days in the week,
Behind the forbidden door her heart by her Spouse is stirred.

Like Anna and Joachim when they met at the Golden Gate,
The inspiring Spirit unites with the breath He has helped to
    create—
Of the spouse who has naught in the world, but who offers her
    body and soul.

Come, O tremor of love, O spur that destroys all soth,
Spirit of fear of the Lord, whence wisdom arises, not loath
For action, but seeking escape from visions of Thy displeasure.

O tender piety, come, sacramental affection close-linked,
And you, judgment and knowledge of good from evil distinct,
And you, ingenuous strength of martyrs, flushed red with their
    treasure!

Et vous, vocation en nous, conseil des choses les meilleures,
Vous enfin, interne soleil, dans l'amande de l'iris aux sept
  couleurs,
Vibration de l'intelligence et de la connaissance sapide !

Ouvrez-vous, portes éternelles ! en vain le gond grince et ré-
  siste,
Hommes, mes frères ! pourquoi croire les choses les plus
  tristes ?
Pourquoi refuser de boire à ce vase qui est votre partage ?

Le Seigneur dit : « Vous préférez vos idoles à la vérité,
« Votre mort à la vie, l'esclavage à la liberté,
« Pourtant, mes petits-enfants bien-aimés, que pouvais-je faire
  pour vous davantage ?

« J'ai livré mon visage aux soufflets, mon front à la couronne
  d'épines.
« J'ai souffert l'abandon de tous les miens, la solitude de ma
  Personne divine ;
« Dites-moi, de toutes vos douleurs, quelle est celle que je n'aie
  point connue ?

« A vos peines d'un jour j'ai apporté ma Personne infinie.
« Les cinq Plaies que vous m'avez faites je les emporte dans
  mon Épiphanie.
« La Toute-Puissance a été entre vos mains faible et nue.

« Vous avez eu votre heure et vous en avez profité.
« Maintenant j'emporte aux côtés de mon Père votre souf-
  france et votre humanité.
« Je veux que là où Je suis tous mes enfants soient avec moi.

And you, vocation within, O counsel of what is good,
You, too, interior sun, O heart of the rainbow seven-hued,
Vibration of understanding and of penetrating wisdom!

Lift up, you eternal gates! In vain do the hinges creak.
My fellowmen, my brothers! Why picture the world all bleak?
Why should you refuse to drink of the cup that is your portion?

The Lord says, "You have preferred your brazen idols to
    truth,
Your death to life, your slavery to liberty in its ruth.
But children, My well-beloved, what more could I do for My
    vineyard?

"I delivered My face to the strikers, My head to the crown of
    thorn.
I have been abandoned by all, My Person alone amid scorn.
Tell Me, of all of your sorrows, is there one that I have not
    known?

"To suffer your finite pains I have brought Mine infinite Person.
The five wounds you gave Me I carry away in My manifesta-
    tion.
Between your hands the Almighty has lain, all feeble, alone.

"You have had your hour and from it derived your profit com-
    plete.
Your humanity, your suffering I shall take to My Father's
    seat,
For I will that where I am My children may be at My throne.

« Pour comprendre Dieu, vous-mêmes il vous faut être Dieu.

« Je me suis fait homme pour vous et maintenant je vous fais Dieu.

« Et la parole qui connaît vous envoie l'Esprit qui délivre. »

Moi du moins si les autres vous renient je crois en Vous, Seigneur !

O Jésus, si je Vous abandonne où trouverai-je un maître meilleur ?

Je sais que c'est de Vous qu'il est écrit au commencement du livre.

Vous nous avez fait pleine mesure ! *Ecce odor agri pleni !*

Voici le lieu que Vous nous avez donné et la terre que Vous avez bénie,

Comme une chose embarrassée de trop de gloire et qui ne sait pas quoi faire !

Ce jour que le Seigneur a fait, réjouissons-nous en lui.

En juin l'été nous reste encore tout entier et le printemps n'est pas fini,

Ce n'est que la veille encore des noces royales de la Terre !

Ce n'est pas fini de notre joie et demain est un autre jour encor !

Bientôt à la verdure qui s'éteint succède la couleur de l'or !

Bientôt le soleil dans le ciel en silence effacera le croissant et les Trois-Mages.

O vous qui ne croyez pas à Jérusalem de chalcédoine et d'azur,

Mais cette terre du moins est à nous, cette heure du moins est sûre !

"In order to understand God, you must share His divine existence.
For you I have made Myself man; I have made you God with insistence,
And the Word Who knows has sent you the teaching Spirit."

Even if the others deny, I believe in Thee, Lord!
To whom should I go, O Jesus, if I should mistrust Thy word?
I know it is written of Thee at the head of the Book we inherit.

Thou hast given us ample measure! The field wafts its scent to the sky:
Here is our place Thou hast given, the earth in Thy blessing shy
As if overwhelmed with glory, too lost to know what to say.

This day that the Lord has made, let us rejoice herein!
In June we have summer before us and spring has yet far to spin.
As yet it is only the eve of Earth's royal wedding-day.

Our joy has not passed as yet—and tomorrow is another day!
Soon over this verdure now fading will lighten a golden ray,
Silently the sun will obscure the Three Wise Men and the crescent.

O you who do not believe in Jerusalem of chalcedon and azure,
The earth at least is ours, this moment our own in full measure!

Ah, devant tant de beauté pourquoi douter de tout l'énorme
apanage ?

L'homme se plaint, mais toute créature est profondément con-
tente.
Elle a de quoi pousser et manger, et bénit Dieu dans l'attente
Du grand jour de l'Éternité qui élucide les ombres et les images.

Déjà j'entends le chœur qui entonne le *Vidi aquam* et l'*Asperges.*
Et nous, prenons sans crainte le *Confitemini,* tout brillants et
baignés des prémisses de Votre jeunesse,
Comme ceux qui voyant tout le mal savent que Votre grâce
est plus forte !

Ah, ne me reprochez rien ! que cette heure du moins ne me
soit pas disputée,
Où je frémis de joie en Dieu mon sauveur et la Terre res-
suscitée,
Et le bruit de toutes les églises sonnantes que le vent du ciel
m'apporte !

S'il y a des affligés, nous avons une nourriture divine !
S'il y a des faibles, qu'ils mettent la tête contre notre poi-
trine !
Mais que nulle douleur en ce jour ne prévale contre notre joie !

Les gens riaient de nos premiers pères, les voyant ivres de ce
vin nouveau.
Mais se peut-il que nous pleurions, au jour où nous rompons
notre tombeau
Et où le Vainqueur du monde est assis dans la conquête et la
proie ?

Before such actual beauty, why call our fair hopes evanescent?

Man pities himself, yet all creatures profoundly are satisfied.
Provided with food and growth, they lift unto God a tide
Of thanks, and await the Last Judgment in peace and hope
  acquiescent.

Already I hear the choir intoning *Vidi aquam* and *Asperges*.
Let us chant *Confitemini* with a joy wherein sparkling courage merges,
Like those who, seeing all evil, remember Thy grace is more
  strong!

Ah, do not reproach me with aught! For this hour let no grief
  be contrived,
While I rejoice in God my Saviour and the earth so newly
  revived
And the church bells' thundering echoes that the winds of
  heaven prolong!

If perchance there are souls downcast, we can give them heav-
  enly Food!
If there are sickly ones, let them rest on our hearts so crude!
But let no grief today prevail against our joy!

Men laughed at our fathers of old, seeing them filled with
  new wine.
But how could we weep on the day when our tomb is unsealed
  as a sign,
When the Victor of the world is enthroned in a triumph without alloy?

Tout péché fut essayé à bloc et Votre commandement reste le même.

Tout argument à bloc et Votre vérité reste la même.

C'est toujours la Pentecôte en ce mois où le fruit noué est encore acide.

Mille et neuf cents ans ont passé depuis ce grand bruit qui s'est fait dans les cieux.

C'est nous qui tenons à notre tour la croix que nous avons reçue des aïeux,

Regardant la croix que nous tenons avec une confiance intrépide.

Où sont maintenant vos ennemis ? où sont ces témoins qui se contredisent ?

L'esprit de division des langues est sur eux, la coupe de Babel les grise.

Ils sont comme la bête brute qui ignore Oui et Non, et ce qui est bien ou mal.

Celui qui ne rassemble pas avec Vous dissipe.

Celui qui a perdu l'unité ne retient plus aucune chose ensemble.

Toutes choses à rebours pour lui refuient vers le néant natal.

Où sont ces hommes pompeux ? où sont ces mangeurs de petits enfants ?

Leur gloire humaine a fui par en bas, ils ont perdu âme et vent.

Ils sont comme Judas qui crève par le milieu du ventre.

L'enfer l'accueille et un autre prend son épiscopat.

Pour un lâche qui se retire l'office ne chômera pas.

L'Ange du ciel incessant pèse qui sort et qui entre.

Every sin has been tried in turn and Thy commandment stays
    as it was;
Every argument in its turn, and Thy truth remains as it was.
It is always Pentecost now when the knotty fruit is still sour.

A thousand and nine hundred years have passed since that
    rushing in the skies.
In our turn we hold the cross our elders bequeathed as a
    prize,
Gazing with fearless courage on the cross we hold as our
    dower!

Where are Thine enemies now? Where the witnesses self-
    contradicting?
The spirit of division of tongues, Babel's cup, have caught
    them conflicting:
They are as brute beasts who know not Yes from No, nor good
    from evil.

Who does not gather with Thee, scatters.
Who has lost unity can grasp no other matters.
For him all things go away and melt to their chaos primeval.

Where are the pompous men who hound little children to
    death?
Their human glory has sped, they have lost their souls—and
    their breath—
They are like Judas, whose body is thoroughly burst asunder!

Hell has engulfed him; his bishopric falls to another.
On account of one coward who fails, no office inanely will
    smother—
Beneath its portal, tireless, an angel sees all who go under!

O mon Dieu, la pluie, la nuit, la boue, durent depuis trop
longtemps !
Nous en avons assez et trop de l'hiver, de ce sombre et dou-
teux printemps,
De ce monde malade et noir qu'à peine un rayon pâle corrige.

Vous paraissez et il n'y a plus que Vous du Levant jusqu'à
l'Occident !
Vous touchez les montagnes et elles fument dans le soleil levant !
Vous foulez Vos ennemis en triomphe sous le vol de Votre
quadrige !

Au souffle de Votre bouche se découvrent le ciel et la terre,
L'œuvre de Vos Sept Jours devant nous est accomplie dans
une éclatante lumière !
Les millions de Vos créatures Vous louent et le Fils de l'homme
est assis dans le soleil !

———

Lorsque le soir viendra, effaçant rubrique et majuscule,
Lorsque tout mon office est dit jusqu'au dernier capitule,
Sans livre ni chapelet, je reste en ce grand monde vermeil.

Deux planètes en ligne oblique, l'une basse, l'autre haute,
S'en vont vers le soleil qui s'en va dans ce soir de la Pente-
côte,
Comme un faucon d'argent qui couvre une colombe de perle.

O my God, the rain, the dark, the mud have lasted for far too
    long!
Enough and too much of winter, of this somber spring without
    song,
Of this sick and gloomy world that scarcely a pale ray lights.

Thou comest—there is naught but Thou from the east to the
    distant west!
Thou touchest the mountains; a smoke in the dawn encircles
    their crest.
Thine enemies grovel in fear beneath Thy car's triumphant
    flights.

At a word from Thy lips the earth and the sky have discarded
    their veils:
Before us Thy Seven Days' Work shines forth in its myriad
    details,
The millions of Thy creatures praise Thee and the Son of Man
    is throned in the sun!

———

When evening comes, blotting out capital letters and rubrics,
And down to the last chapter, I have said every verse of my
    Office,
Without book or beads, I relax as the world has done.

Two planets in slanting line, one low and the other high,
Are traveling after the sun as it fades down the Pentecost sky,
Like a silver falcon that hovers and a pearly dove that goes.

Tout s'est tu, mais l'esprit qui contient toute chose ne se contient pas en moi.
L'esprit qui tient toute chose ensemble a la science de la voix,
Son cri intarissable en moi comme une eau qui fuse et qui déferle !

Il n'est à ce discours parole ou son, pause ou sens,
Rien qu'un cri, la modulation de la Joie, la Joie même qui s'élève et qui descend,
O Dieu, j'entends mon âme folle en moi qui pleure et qui chante !

Tant qu'il fait jour encore et que ce n'est pas la nuit,
J'entends mon âme en moi comme un petit oiseau qui se réjouit,
Toute seule et prête à partir, comme une hirondelle jubilante !

All is still, but the Spirit that contains all things within me
  cannot be held.
The Spirit that holds all together knows of the voice unquelled
Within me, its ceaseless cry like a water that ebbs and flows!

No word nor sound has its speech, no meaning nor pause,
Naught but a keening of joy which flows like the ocean's laws—
O God, I hear within me my wild soul weeping and singing!

So long as it still is day and the night delays,
I hear within me my soul like a bird giving praise,
All alone and eager for flight, like a swallow upwinging!

Les six longues journées sont finies, l'œuvre de la moisson est
    faite.
Toute l'orge et le blé sont à bas, la paille est par terre avec
    le grain,
Les six jours de la moisson sont faits et le septième jour est
    demain,
Et déjà les troupes des travailleurs ont regagné pour la fête
      Bethléem, la « Maison du pain ».

Le riche Booz, cette nuit, est resté seul dans son champ.
C'est un homme craignant Dieu, un cœur droit que la sagesse
    habite.
Bienheureux qui sur le pauvre et la veuve est intelligent,
Et dont les faucheurs inexacts laissent derrière eux en mar-
    chant
      Des épis pour la glaneuse Moabite.

Cependant qu'il est couché sans dormir au milieu de l'immense
    moisson préparée,
Regardant la pleine lune du sabbat, la nuit jubilaire et con-
    sacrée.
Voici qu'il sent à son côté comme un chien timide qui le
    frôle,
Et la glaneuse Ruth, s'étant lavée et parée,
      Met la tête au creux de son épaule.

HYMN OF THE BLESSED SACRAMENT

The six long days are complete, the work of the harvest is
    done.
All the barley and wheat are laid low, the straw and grain on
    the ground are spread.
Six days of the harvest have passed, the seventh day almost
    begun,
And already the laborers' groups have followed the setting
    sun
      To Bethlehem, "House of Bread".

But wealthy Booz tonight has stayed alone on the moor.
He is a God-fearing man and wisdom dwells in his heart.
Blessed who understands about the widow, the poor,
Whose careless reapers drop from their sheaves made insecure
      Stalks for the gleaners' part!

Yet while he lies awake in the midst of his measureless yield
Gazing upon the full moon of this sabbath with joy to follow,
He feels a touch at his side, like a timid dog's, half-concealed,
And Ruth, the gleaner, new-dressed, by the moonlight dimly
    revealed,
      Lays her head in his shoulder's hollow.

« Ma fille, que me voulez-vous ? vous voyez que je suis solitaire et vieux.

« J'ai vécu de longs jours avant vous et maintenant ma barbe
est grise.

« Va, Ruth, vers le frère de ton mari, selon que la loi de
Moïse le veut. »

Et Ruth lui répond sans lever les yeux :

« A l'ombre de Celui que mon cœur désirait je me suis assise. »

Nous de même, mon Dieu, nous voyons que Vous êtes solitaire
et abandonné,

Comme un vieillard au milieu de ces passants d'un jour, ces
jeunes gens occupés et frivoles.

Mais parce que nous avons goûté le miel qui passe toute saveur
de Votre bonté,

Versant la tête sur Votre épaule, nous Vous offrons avec un
cœur trop plein pour des paroles

Cette pauvre chose que nous pouvons donner.

Donnez-nous à manger, homme riche de la « Maison du pain » !

Recevez pour toujours l'Étrangère dans Votre demeure !

Nous en avons assez loin de Vous d'avoir soif et d'avoir faim !

Que ne nous faille plus jamais, soustrait à l'envie du publicain,

L'épi gratuit épargné par Votre faucheur.

Donnez-nous aujourd'hui notre pain supersubstantiel.

J'en ai assez de cette manne d'un matin, de ce pain qui passe
en ombre et figure.

Nous en avons assez du goût de la chair et du sang, du lait,
des fruits et du miel.

"My daughter, what do you seek? You see I am lone and old.
I have lived long days before you and my beard with grey is
   attired.
Go, Ruth, to your husband's brother, as the law of Moses has
   told."
      Says Ruth, full-souled,
"I have sat down in the shadow of Him Whom my heart desired."

We, too, my God, we perceive that Thou art abandoned, alone,
Like an old man in the midst of the throng too busy to live.
Because we have savored the honey of Thy goodness so mani-
   fold grown,
Laying our heads on Thy shoulder, with hearts from which
   speech has flown,
      We offer what we can give.

Give us to eat, we beg, O Man of the "House of Bread"!
Receive the stranger to dwell forever in Thy habitation!
Hunger and thirst we have known, far from Thee in the days
   that have sped.
Now, freed from the publican's plotting, may we find wher-
   ever we tread
      Wheat of Thy dispensation!

Our supersubstantial bread, O give us, today!
Enough of the morning's manna, the bread with transience im-
   bued!
Enough of the taste of blood and flesh, of honey and fruit and
   whey—

71

Arbre de vie, donnez-nous le pain réel.

    Vous-même êtes ma nourriture.

Booz a engendré de Ruth Obed de qui sont nés David et les Rois.

C'est moi maintenant que Vous choisissez, rejetant Jérusalem et Samarie.

O pain des Anges, que de fois Vous avez souffert la meule et la croix,

Avant que je reçoive à mon tour d'un cœur fondu de tendresse et d'effroi

    Cette chair que Vous avez reçue de Marie !

Je goûte donc de Vous ! Saint des saints, Vous goûtez de moi, pécheur !

O égalité de l'amour ! ô parole incommunicable !

O communion avec Vous ! instant de mon cœur dans ton cœur !

Main droite de mon Dieu qui m'attire et main gauche de mon Sauveur

    Sous ma tête que la honte accable !

Terrible silence de midi où Votre nom seul est répondu !

O gardiens de Jérusalem, qu'aucun de vous ne me réveille ou m'appelle !

O foi qui surpasse le sens ! acclamation de la prière entendue !

O véritable ami, Votre nom est comme un parfum répandu !

« Demeure comme un signe sur mon bras et comme un bouquet de myrrhe entre mes mamelles ! »

Un instant vaut mieux avec Vous que mille jours dans les parvis humains.

Tree of life, give us bread to stay!
    Thyself art my Food!

Booz engendered of Ruth Obed, ancestor of David and kings.
Rejecting Jerusalem . . . Samaria . . . I halt at Thy sanctuary.
O Bread of angels, how often the millstone, the cross, to Thee
    clings,
Before in my turn I receive in my heart where tenderness sings
    The flesh Thou hadst from Mary!

Then do I taste of Thee! Of me, a sinner, Thou tastest, O Saint
    of saints!
Equality of love! O speech too marvelous to sound!
Communion with Thee! My heart in Thine with no restraints!
Right hand of my God Who draws me, and under my shame
    profound,
    My Saviour's hand at my head!

Terrible noon-day silence when only Thy Name is spoken!
Ye guards of Jerusalem, let none of you break my rest!
O faith surpassing the senses! O answer to prayer's small
    token!
O Friend in very truth, Thy Name is a casket swift-broken!
    "Oh, stay as a seal on my arm and a sprig of myrrh at
    my breast!"

One instant with Thee is more precious than a thousand in
    human tents.

Il est bon pour nous de rester dans Votre présence considér-
able.
Vous m'appelez, Verbe de Dieu, qui étiez hier et demain,
Et je me suis écrié en élevant les mains :
« Je passerai jusque dans le lieu du tabernacle admirable ! »

Moi aussi, j'aurai part à Votre calice !
Vous me purifierez et je serai pur comme le lin éblouissant !
Seigneur, que Votre volonté et non pas la mienne s'accom-
plisse.
Moi aussi avec Votre prêtre montant à l'autel du sacrifice
    Je laverai mes mains entre les innocents !

J'entrerai à l'autel de Dieu, vers le Dieu qui réjouit notre
    jeunesse !
Jugez-moi et discernez ma cause de la race d'Edom et d'Am-
    alech.
Bienheureux qui loin des hommes vieillissants reçoit sa part
    avec Votre promesse,
Et dont les mains saintes et vénérables élèvent les deux Es-
    pèces,
Votre prêtre à tout jamais suivant l'ordre de Melchisédech !

Qu'elles montent devant Votre trône en odeur de suavité !
Recevez le sang de l'Agneau qui est immolé depuis la créa-
    tion du monde,
Vieillard, que le sang d'Abel émeuve les entrailles de Votre
    Paternité,
Qui supplie avec une forte clameur pour nous autres que
    Vous voyez saoulés et vautrés,
Pauvres hommes, dans notre stupidité profonde !

In Thine adorable presence it is good for us to remain.
Thou callest me, Word of God, knowing past and future events.
  I cry out my intents:
"I will go in, unto the place where Thy tabernacle has lain!"

In Thy chalice I, too, will have part!
Thou wilt purify me till I be as pure as the linen bands—
O Lord, may Thy will be done and not frustrate by my art!
I, too, going up with the priest to the altar for gifts set apart,
  With the innocent wash my hands!

I will go in to the altar of God, to God, Who is the joy of my
  youth!
Judge me and distinguish my cause from the nation of Amalech.
Blessed the man free from age who shares in Thy promise in
  sooth,
Whose holy and reverend hands uplift the two Species in
  truth:
  Thy priest forever according to the order of Melchisedech!

May these Species ascend to Thy throne in an odor of sweetness!
Receive the blood of the Lamb Who is slain from the beginning of the world!
O Ancient of Days, may Abel's blood draw forth from Thy
  fatherly goodness—
The blood that cries out for us men who wallow in drink and in
  grossness,
  Our minds in stupidity whirled!

Recevez ce sacrifice que nous Vous offrons pour les vivants
et les morts.
Premièrement faisant mémoire de nos plus proches et moi de
mon père et de ma mère,
De ma femme et de mes deux enfants et de tous ceux à qui
j'ai fait tort.
Mêmement de tous les fidèles défunts que leur faute retient
encor
Captifs dans le lac de misère.

Pieux Pélican, qui souffrez devant nous Votre crucifixion,
Administré par les anges en pleurs qui Vous portent patène
et vase,
Donnez-nous la porte de Votre flanc ainsi qu'au centurion,
Afin que Vous nous soyez ouvert et que nous unissions
Notre nature à Votre hypostase.

En Vous toute créature a reçu sa consommation.
Nous avons fait par le travail de nos mains de ce fruit inutile
et de cette herbe
Le froment qui végète les forts, la grappe qui enivre Sion,
Et maintenant sous la vigne crucifiée, à ce bout de notre sillon
Nous dressons une table superbe !

Seigneur, Vous voyez cet univers que Vous nous avez donné
à consommer.
Tout a passé, ciel et terre, en ce pain pour me nourrir.
Consommez donc à son tour cet homme que Vous avez con-
formé,

Receive this sacrifice which we offer for the living and the
dead.
Recalling first our dear ones—and I, my father, my mother,
My wife and my two children, and all whom to harm I have
led,
Likewise the faithful departed whom their sins may still imbed
In the lake of Purgatory.

O loving Pelican Who sufferest here crucifixion—
Served by the angels in tears, who bring Thee the paten and
chalice—
Give us the door in Thy side, as once Thou gavest the cen-
turion,
That Thou mayest be open to us and we place our nature in
union
To Thine hypostasis!

For every creature in Thee has received its consummation.
By the work of our hands we have made of this useless fruit
and this grass
A grape to inebriate Zion, the wheat to nourish a nation.
We lay, under the cruciform vine, at our furrow's complete
expiration,
A table none can surpass!

O Lord, Thou seest this world Thou hast given us to consume:
In this bread all heaven and earth for my sustenance con-
spire.
This man whom Thou hast fashioned do Thou, in his turn,
consume!

Et mangez enfin avec nous, dans le pain et dans le vin rédimés
Cette Pâque que Vous avez désirée d'un grand désir !

Les siècles passés et futurs Vous sont éternellement en spec-
    tacle,
Vous voyez tout, invisible au fond de cette église sombre et
    vieille.
Donnez-nous une fois de regarder dans le centre de Votre
    miracle,
En ce jour de la Fête-Dieu, quand le prêtre ouvrant Votre
    tabernacle
        Elève entre ses mains le soleil !

Comme l'astre quand s'élevant de la terre il tire toutes choses
    à lui,
Ainsi ce soleil de douceur que le prêtre dans le grand lange
    de soie apporte comme un enfant nouveau.
Heureux le ventre qui Vous a conçu et le sein qui vous a
    nourri !
Je suis comme l'Aveugle-né qui dans le néant et la nuit
        Reconnaît la présence de l'Agneau.

Cause invisible, venez voir ce monde que Vous avez fait.
Vous n'êtes plus enveloppé comme jadis par la foudre et le
    nuage.
Quatre notables naïvement soutiennent Votre pauvre dais,
Cependant que Vous Vous avancez, rayonnant sur les bons et
    sur les mauvais,
        A travers les rues de notre village.

Vous le jurâtes aux pères de nos tribus avec un grand ser-
    ment,

With us, ransomed in bread and wine, do Thou eat, in an
  upper room,
  The Pasch of Thy great desire!

The centuries past and future are always within Thy sight:
Hid in the ancient depths of this church, Thou viewest each
  one.
Grant us just once to peer to the heart of Thy miracle's light
On this Corpus Christi Day, when the priest uplifts the white
  Disk of the Sun!

Like the star arising from earth that draws all things from the
  muck,
So is this Sun of sweetness that the priest brings in swathings
  of silk like a new-born babe.
Blessed the womb that bore Thee and the breasts that gave Thee
  suck!
I am as the man born blind, who out of the dark and the ruck
  Perceives the presence of the Lamb.

Invisible Cause, come and see this world that Thou hast made!
No longer, as oft of old, art Thou wrapped in thunder and
  cloud.
Naively four potentates uphold Thy canopy's shade
While Thou movest through lines where the good and the evil
  men are arrayed,
  To smile on our village crowd.

To the priests of our tribes Thou didst swear, on an oath without precedent,

Lorsque Votre arc-en-ciel apparut au dessus de la terre claire
et purgée :
Voici que je suis avec vous et vos fils tous les jours de mon
Testament.
Et Vous renouvelez avec nous dans la piété de Votre sacre-
ment
Cette foi que Vous nous avez engagée.

L'hérétique ne sait que rompre par violence, séparer toujours
et reséparer,
A chaque morceau mutilé, son œuvre, appliquant sa méchante
critique ;
Il a mis Dieu de côté et l'homme d'un autre côté.
Le monde sans devoir pour lui, libéré de Votre unité,
Retourne à l'atonie chaotique.

Dieu, si loin que Vous soyez de nous, nous sommes rejoints à
Vous par l'amour.
Il n'est point de séparation des membres au chef mystique.
Nous savons que chaque chose est différente des autres par
amour,
Vous conviez tous les êtres qui ont de Vous leur *par* et leur *pour*
A la communion eucharistique.

C'est Vous-même qui avez dit que je peux manger de Votre chair.
C'est écrit. Ce n'est pas moi tout de même qui l'ai inventé !
Pourquoi douterais-je un moment, lorsque Votre parole est si
claire ?
Soyez tout seul, ô mon Dieu, car pour moi ce n'est pas mon
affaire,
Responsable de cette énormité !

When Thy rainbow gleamed forth on the earth from all filthi-
   ness dredged:
"I am with you and your sons all the days of My Covenant."
Now Thou dost renew with us in the depth of Thy Sacrament
      The faith Thou hast pledged.

The heretic can only break and endlessly separate
His work into quivering morsels, applying his "criticism";
He has set on one side God and man at a distant gate.
Irresponsible, as he thinks, and freed from Thy social state,
      The world sinks in cataclysm.

Far as Thou mayest be, Lord, we are joined to Thee by love.
The mystic Head with the members has a vitalizing union.
We know that each part is distinct from the other in worth of
   love;
Yet dost Thou call all beings Thou art the Creator of
      To the eucharistic Communion.

It is Thou, Thyself, Who hast said that I may eat of Thy flesh.
It is written. Nor was it I who dared invent such truth!
Why should I doubt a moment this word with Thy mercy fresh?
Be Thou alone, O my God—I am free of the guilt's strong mesh—
      Responsible for Thy ruth!

L'odeur de l'encens se mêle à celle des fleurs et des foins.

La grappe et l'épi sont formés pour le sacrifice et la Messe.

Le temps est venu pour nous de passer un peu plus loin.

Seigneur, que Votre monde était beau ! mais le Ciel ne l'est pas
    moins.

      « *Venez !* » nous dit la Sagesse.

Vous m'avez accablé de Vos bienfaits qui suis un ingrat et un
    pécheur.

Qu'un autre, c'est possible, trouve que Votre joug est lourd.

Mais moi je n'ai connu que Votre bonté et jamais Votre rigueur.

Je tiens Votre main dans la mienne, je sais que Vous êtes mon
    Rédempteur

      Et je rirai à mon dernier jour !

Demeurez avec moi, Seigneur, en ce jour de la guerre et du
    danger !

Regardez Votre serviteur qui n'est pas bien brave et vaillant !

O mon maître ! donnez-moi de ce pain à manger !

Et ni les hommes, ni l'enfer, ni Dieu même, ne pourront m'ar-
    racher

      Votre corps que je possède entre mes dents !

The odor of incense mingles with those of the flowers and the
  hay,
The grape and the wheat are ripe for the sacrifice of the Mass.
The time has come for us to leave this present day.
How fair was Thy world, O Lord! But Heaven is fairer, they
  say!
    Wisdom calls us to pass.

With Thy gifts Thou hast overwhelmed me, who am ungrateful,
  who sin.
Perhaps another may find some tedium in Thy yoke;
Yet I have seen only Thy kindness and never a harshness within.
I hold Thy hand in my own, my Redeemer, and smiling, begin
    Thy strength for the way to invoke!

Stay with me, Lord, on that day of danger, that day of war!
Look on Thy servant, Lord, who is not very valiant or brave!
O my Master, give me to eat of the Bread I am famished for!
Not man, nor hell, nor God shall snatch from my tight-clenched
  jaw
    Thy Body, Who camest to save!

PSAUME 49

« Si j'ai faim, je ne te le dirai pas, » dit le Psaume. Mais si !
Il faut le dire, Seigneur ; surtout que si vraiment il Vous suffit,
(Préférant moi-même autre chose), de ce pain,
Peut-être je Vous le donnerai plutôt que de le jeter aux chiens.
Si Vous me le demandez par la bouche d'un de Vos pauvres,
    peut-être
Que, n'ayant point de caillou, je lui jetterai le pain à la tête !
Seulement ne soyez pas discret avec moi et ne gardez pas le
    silence,
Comme un père qu'on a rebuté et qui dévore son offense.
Malheur au fils qui le blesse au plus profond de ses sentiments !
Il se tait désormais et ne lui dit plus rien et le laisse aller
    librement.
Il est des choses sacrées qu'on ne demande qu'une fois.
Si Dieu a faim désormais, ce n'est plus à lui qu'il le dira.
S'il a faim ? Mais c'est dans Saint Jean ! Et est-ce qu'elle doit
    jamais finir,
Cette Pâque avec nous qu'il a désirée d'un grand désir ?

PSALM 49

"If I am hungry, I will not tell you," says the Psalm. Oh, but do!
Thou oughtest to say it, Lord. Especially if it were true
(Though I prefer something else) that Thou shouldst desire this
    bread,
Perhaps I would give it to Thee rather than see that the dogs
    be fed.
Shouldst Thou ask with the lips of the poor, I might be known
To be willing to throw them this bread, since I have not a stone!
Only, be not reserved with me and do not keep silence
Like a father rebuffed who is grieving at the offence!
Woe to the son who wounds him to the depth of his heart!
Thenceforth he will speak no further and freely lets him depart.
Some things there are so sacred that we ask for them just one
    time:
Thenceforth if God be hungry, He will not ask of him.
If He be hungry? But read Saint John! And can it ever expire,
The Pasch with us that He longed for with such measureless
    desire?

HYMNE DU SACRÉ-COEUR

A la fin de ce troisième mois après l'Annonciation qui est Juin,
La femme à qui Dieu même est joint
Ressentit le premier coup de son enfant et le mouvement d'un
    cœur sous son cœur.

Au sein de la Vierge sans péché commence une nouvelle ère.
L'enfant qui est avant le temps prend le temps au cœur de sa
    mère,
La respiration humaine pénètre le premier moteur.

Marie lourde de son fardeau, ayant conçu de l'Esprit-Saint,
S'est retirée loin de la vue des hommes au fond de l'oratoire
    souterrain,
Comme la colombe du Cantique qui se coule au trou de la
    muraille.

Elle ne bouge pas, elle ne dit pas un mot, elle adore.
Elle est intérieure au monde, Dieu pour elle n'est plus au
    dehors,
Il est son œuvre et son fils et son petit et le fruit de ses entrailles !

Tout l'univers est en repos, César a fermé le temple de Janus.
Le sceptre a été ôté de David et les prophètes se sont tus.
Voici, plus nuit que la nuit, cette aurore qui n'a pas de Lucifer.

HYMN OF THE SACRED HEART

At the end of this third month after the Annunciation, which is
   June,
The woman who is God's has heard the tune
Of heartbeats under hers and felt the movement of her Son:

Within the sinless Virgin's womb commences a new era.
The Child Who is before all time assumes time in His Mother
And in the primal Mover man's breathing is begun!

Heavy with her burden, conceived of the Holy Ghost,
Mary has hid from men in an oratory half lost
In subterranean darkness, like a dove that has crept in the wall.

She moves not, speaks not a word. She adores.
She is withdrawn from the world. For her, God is not outdoors:
He is her work, her Son, her Baby, borne as her All!

The universe is at peace. The temple of Janus is closed.
The scepter was taken from David; the prophets no more have
   disclosed.
Yet, blacker than blackest night, this is dawn . . . with no star
   to tell!

Satan règne et le monde tout entier lui offre l'encens et l'or.

Dieu pénètre comme un voleur dans ce paradis de la mort.

C'est une femme qui a été trompée, c'est une femme qui fraude
l'enfer.

O Dieu caché dans la femme ! ô cause liée de ce lien.

Jérusalem est dans l'ignorance, Joseph lui-même ne sait rien.

La mère est toute seule avec son enfant et reçoit son mouvement
ineffable.

———

Maintenant Vous êtes devant nous sur la croix, étendu comme
un livre ouvert.

Et tout est vraiment consommé : exceptez que Vous n'avez pas
assez souffert.

Il est vrai que Votre mère elle-même ne reconnaît plus Votre
face effroyable !

Il est vrai que depuis la plante de Vos pieds jusqu'au sommet
de Votre tête

Nous ne voyons plus une place sur Votre corps où la volonté
de l'homme ne soit faite :

Mais il nous reste encore Votre cœur à percer !

Fils de Dieu, voici tant de siècles qu'on Vous traîne, la corde
au cou !

Les prostituées elles-mêmes ne peuvent Vous voir sans dégoût.

La Ressemblance qui était Votre face, nous avons su l'effacer.

Les sages qui Vous voient secouent la tête et se détournent un
peu pour sourire.

Ils savent mieux que Vous ce que Vous avez voulu dire,

Qui est chose fort ordinaire et banale, et rien que Vous n'ayez
pris à un autre.

Satan rules and the whole wide world offers him incense and
  gold.
God penetrates like a thief in this Eden of death overbold.
A woman was once deceived, and now a woman cheats hell.

O God, in a woman hid! O Cause, in this bondage bound!
Jerusalem knows naught; even Joseph sees darkness profound.
The Mother alone with her Child feels His ineffable moving.

———

Now Thou art stretched on the cross, like a book with its pages
  wide
And all is consummated save the death of the Crucified.
Thy Mother herself would not know Thy face in this agonized
  proving!

In truth, from the soles of Thy feet to the very crown of Thy
  head,
We see no place on Thy Body which for man's wild will has
  not bled:
But not yet have we pierced Thy heart!

Son of God, so many centuries Thou art dragged through the
  streets, disgraced!
The very prostitutes cannot view Thee without distaste.
The Resemblance that was Thy face, we have made depart.

The learned who see Thee shrug and smilingly turn away.
Better than Thou dost, they know what Thou didst mean to say—
A thing quite common, banal and far from original.

Ils ne nous ont rien laissé de Vous, ni parole, ni visage.

Ils ont tiré Vos vêtements au sort et les ont retaillés à leur usage.

On ne la leur fait pas, avec Vos bonnes femmes et Vos Apôtres !

Vous êtes mort et le soleil s'est éclipsé.

Sur la croix évidente c'est un cadavre qui est exposé.

Ami, si Vous nous défaillez, que nous reste-t-il encor ?

Vous avez fait ce que Vous avez pu, ce n'est pas un reproche que nous Vous faisons.

Mais le mystère du sein paternel n'était-il assez profond

Pour que Vous assumiez notre néant et que Vous ajoutiez la mort ?

Eh bien ! si Vous nous manquez vif, nous Vous aurons trépassé !

Le Centurion qui Vous a vu mourir, cependant n'en a pas assez,

Et se jetant sur Vous, lance aux mains, il Vous a ouvert et crevé !

La lance entre sous la côte et ressort sous la mamelle.

Car le païen Vous frappe au hasard, mais Vous attendez mieux de vos fidèles :

C'est à nous seuls qu'appartient la blessure profonde et réservée.

« L'amour m'a désarmé et mon Père ne m'est plus un rempart.

« Connaissez enfin ce cœur que vous avez percé de part en part !

« D'où sourde ce sang pour Vous sur l'autel qui renouvelle le calice. »

They have left us nothing of Thee, neither speech nor smile.
They have drawn Thy garments by lot and reshaped them in
style.
They cannot be duped that way, with Thy good women and
Apostles!

Thou art dead and the sun is gone.
On the cross still visible only a corpse is hung.
Friend, if Thou dost fail us, what have we left?

Thou hast done what Thou couldst, we do not reproach Thee.
But had not Thy Father's bosom sufficient mystery,
That Thou must assume our nothingness, then of life be bereft?

If we may not have Thee alive, at least we will have Thee dead!
The centurion who saw Thee die before all Thy blood was shed
Strikes with a subtle lance, so that Thy heart is riven.

Entering under the rib, it issues under the breast.
For the pagan strikes at random, but our blows are better
addressed:
Thy wound deep-penetrant by us alone is given.

"Love has disarmed Me; no more is My Father a fortress to Me.
Learn at last this heart you have pierced with such instancy,
Whence flows for you on the altar the chalice-draught of My
Blood."

— Seigneur, Vous avez eu assez de peine et nous voudrions ne
 plus Vous faire aucun mal.
Ah ! par cette plaie qui ne se fermera plus, délivrez-nous du
 mal !
Fallait-il donc frapper si fort pour que le sang et l'eau jaillis-
 sent ?

O blessure vraiment royale ! ô sève de Dieu qui s'épanche !
O coup si fièrement asséné entre la côte et la hanche
Qu'il perce jusqu'au nœud de la Trinité !

Et c'est Vous que l'on appelait le Fort et l'Inaccessible !
Le Ciel et la Terre interdits considèrent cette débauche indicible,
Ce scandale d'un Dieu ivre d'amour et blessé !

Ah ! puisque Vous l'avez voulu, revêtant l'homme animal,
Connaissez donc à Votre tour le tourment de l'amour inégal,
La station du cœur transpercé qui fond comme de la cire !

Fermerons-nous Votre plaie, quand c'est Dieu même qui
 s'ouvre ?
Quelle consolation Vous faire, quand c'est l'Infini qui souffre ?
Quel amour Vous rendre, ô mon Dieu, quand c'est l'Infini qui
 désire ?

A cette rose en son sixième mois qui fleurit avec une odeur
 excellente,
Au monde à son sixième mois tout entier qui s'ouvre sous la
 lumière insistante,
Ah ! je l'avais bien deviné qu'il était un cœur douloureux !

—O Lord, Thou hast pain enough, we will do Thee harm no
more.
But oh, by this stanchless wound, keep us from evil's door!
Need we have struck so deeply whence water and blood have
flowed?

O wound most truly royal! O coursing sap of God!
Straight between breast and thigh we sent that blow so proud
That it reaches the Trinity's bond!

Thou art He Who was called the Strong, the Difficult of ap-
proach!
Wordless, Heaven and Earth stare on this strange debauch:
A God intoxicate with love, and bearing a wound!

Ah, since Thou hast wished it, assuming man's nature by pas-
sion benighted,
Experience then, in Thy turn, his torment of love unrequited,
The agonized heart that melts like wax in the fires!

Is it ours to close Thy wound, since its opener was God?
What solace to give Thee, when pain the Infinite has bowed?
What love to give Thee, my God, when the Infinite desires?

By this rose, now six months old, that suffuses the air with
delight;
By the world, full six months old, that expands in insistent
light,
Well indeed had I guessed that Thy heart was a heart of sorrow!

Toute rose pour moi est peu au prix de son épine !

Peu de chose est pour moi l'amour où manque la souffrance
divine !

Au prix de Votre cœur, que me sont tous les cieux ?

Ah ! puisque l'on rit de Vous et que voici l'enfer,

Venez et cachez-Vous avec moi, principe du Verbe fait chair,

Comme jadis Marguerite-Marie Vous reçut dans son pauvre
couvent.

Que je Vous contienne seulement, comme Marie Vous contint
dans son cloître !

Et que me fait de ne point Vous entendre, si je sens Votre cœur
battre ?

Car *J'en jure par Moi-même,* dit le Seigneur Dieu, *Je suis
vivant !*

For me every rose is slight in comparison with its thorn!
For me little worth has a love of God's suffering shorn.
If it cost me Thy heart, what delight from the world could I
   borrow?

Since men but laugh at Thee and this world is hell,
O Word made flesh, let me hide Thee—I love Thee well—
As once to Thee Margaret Mary could shelter give.

Only let me contain Thee, as that Mary did in her cell!
What matter if I do not hear Thee, since I feel Thy pulses
   swell?
For *"By Mine own Self I swear,"* saith the Lord God, *"I live!"*

NOTRE-DAME AUXILIATRICE

A M. l'abbé Fontaine.

L'enfant chétif qui sait qu'on n'est pas fier de lui et qu'on ne
  l'aime pas beaucoup,
Quand d'aventure sur lui se pose un regard plus doux,
Devient tout rouge et se met bravement à sourire, afin de ne pas
  pleurer.
Ainsi dans ce monde mauvais les orphelins et les déshérités,
Ceux qui n'ont pas d'argent, ceux qui n'ont pas de connaissance
  et pas d'esprit,
Comme ils se passent de tout, se passent également d'amis.
Les pauvres s'ouvrent peu, mais il n'est pas impossible de gagner
  leur cœur.
Il suffit de faire attention à eux et de les traiter avec un peu
  d'honneur.
Prends donc ce regard, ô pauvre, prends ma main, mais ne t'y
  fie pas.
Bientôt je serai avec ceux de mon espèce et ne penserai guères
  à toi.
Il n'y a pas d'ami sûr pour un pauvre, s'il ne trouve un plus
  pauvre que lui.
C'est pourquoi viens, ma sœur accablée, et regarde Marie.
Pauvre femme dont le mari boit et dont les enfants ne sont pas
  forts,

OUR LADY, HELP OF CHRISTIANS

To M. l'abbé Fontaine

The puny child who knows he can have but little love,
When by chance upon his face he feels a kind glance rove,
Reddens and bravely smiles, determined not to cry.
So in this wicked world the orphans and those passed by,
The penniless, those without joy that learning or humor lends,
As they do without everything, do equally without friends.
The poor are seldom confiding, yet a man can gain their heart.
He has only to treat them kindly, to honor them without art.
Take then this glance, this handclasp, O beggar, but trust me not!
Soon I shall be with my own sort and you will be forgot.
Only of friends more poor need a poor woman not be wary.
Wherefore, my burdened sister, draw near and look upon Mary!
Poor woman, whose husband drinks and whose children are
   far from strong,

Quand on n'a pas d'argent pour le terme et qu'on désire d'être
mort,

Ah, lorsque tout vous manque et qu'on est tout de même trop
malheureux,

Viens à l'église, tais-toi, et regarde la Mère de Dieu !

Quelle que soit l'injustice contre nous et quelle que soit la
misère,

Lorsque les enfants souffrent il est encore plus malheureux
d'être la Mère.

Regarde Celle qui est là, sans plainte comme sans espérance,

Comme un pauvre qui trouve un plus pauvre et tous deux se
regardent en silence.

When you have no money for rent and death seems delayed too
long,
Ah, when everything fails you and misery presses you ill,
Come to the church and look on the Mother of God, and be
still!
Whatever injustice we bear, though our lot seem worse than
all other,
Yet when the children are sick, it is harder to be their Mother!
So, uncomplaining and hopeless, look upon her who is there,
Like a poor man finding a poorer, and each at the other stare!

LE GROUPE DES APÔTRES

THE GROUP OF THE APOSTLES

SAINT PIERRE

Le rude homme Pierre au grand front chauve qui jurait en
  serrant les poings,
Le premier leva la main à Dieu et jura, non pas ce qu'il ne
  savait point,
Mais le Christ vivant, donnant sa parole, c'est Lui, qui était
  devant ses yeux stature et fait.
C'est pourquoi il est Pierre pour l'éternité, ayant cru ce qu'il
  voyait.
Jésus lui-même attendit que Pierre l'eût manifesté :
Et moi, comme il a cru Dieu, je crois Pierre qui dit la vérité.
« M'aimes-tu, Pierre ? » lui demande le Seigneur par trois fois.
Et Pierre qui trois fois tenté tout-à-l'heure l'a renié trois fois,
Répond en pleurant amèrement : Seigneur, Vour savez que je
  Vous aime !
Pais à jamais mes brebis et le troupeau de toutes parts du
  Pasteur suprême !
— Mais c'est lui maintenant qu'on mène, et voici le soir : il
  s'arrête,
Il dépouille lui-même sa tunique, comme aux matins de la
  pêche à Génézareth,
Et voyant l'arbre de la croix préparé dont on fixe par en bas
  les deux branches,
Le vieux pape missionnaire sourit dans sa barbe blanche.
Saint Pierre, le premier pape, est debout sur le Vatican,

SAINT PETER

Peter of the great bald forehead, the man who swore with
  clenched fists,
First has sworn unto God the truth that in his knowledge per-
  sists:
Christ, living and giving His word, Whom his own two eyes
  have perceived.
Wherefore, he is ever Peter, since what he had seen he believed.
Jesus Himself had waited till his faith was manifest;
Just as he believed God, I believe what Peter confessed.
"Peter, lovest thou Me?" the Master asks of him thrice;
And Peter, who, three times tempted, has just denied Him
  thrice,
Answers with bitter weeping, "Lord, Thou knowest I love Thee!"
"Feed forever My sheep, the flock of the Lord above thee!"
—But now they lead him forth, toward evening. At their wish
He doffs his tunic, as if in the dawn at Genesareth to fish,
And seeing the tree of the cross with its branches nailed at the
  base,
The aged missioner-pope has a smile on his bearded face.
Saint Peter, the first of the popes, stands erect upon Vatican
  hill.

Et de ses mains enchaînées il bénit Rome et le monde dans le
soleil couchant.

Puis on l'a crucifié la tête en bas, vers le ciel sont exaltés les
pieds apostoliques.

Christ est la tête, mais Pierre est la base et le mouvement de
la religion catholique.

Jésus a planté la croix en terre, mais Pierre l'enracine dans le
ciel.

Il est solidement attaché au travers des vérités éternelles.

Jésus pend de tout son poids vers la terre ainsi qu'un fruit sur
sa tige,

Mais Pierre est crucifié comme sur une ancre au plus bas dans
l'abîme et le vertige.

Il regarde à rebours ce ciel dont il a les clefs, le royaume qui
repose sur Céphas.

Il voit Dieu et le sang de ses pieds lui tombe goutte à goutte
sur la face.

Déjà son frère Paul en a fini, il est là qui l'a précédé,

Comme l'épître précède l'évangile, et qui se tient à son côté.

Leurs corps sous une grande pierre côte à côte attendent le
Créateur.

Heureuse Rome, une seconde fois fondée sur de tels fonda-
teurs !

In the sunset his manacled hands over Rome drop a blessing
 still.
Then they crucified him, head down, his apostle's feet raised
 to heaven.
Christ is the Head, but Peter the base and the act of the Catholic
 religion.
Jesus planted the cross on the earth, but Peter has rooted it on
 high.
Tightly is he attached by truths that eternally tie.
With all His weight Jesus hangs toward the earth, like a fruit
 from its bough;
But Peter is crucified on an anchor in the depths and with
 vertigo.
Downwards he looks at the Heaven for which he holds the keys.
On his face drips the blood from his feet. . . . It is God he sees.
Already his brother, Paul, has finished, has gone before him
 one stride,
Like epistle preceding the Gospel, or standing in wait at its side.
Under one great stone together, their bodies await the call home.

With this second foundation thus laid, how blessed is Rome!

SAINT PAUL

Agneau de Dieu qui avez promis Votre royaume aux violents,
Recueillez Votre serviteur Paul qui Vous apporte dix talents,
Cinq que Vous lui avez confiés et les autres qu'il a gagnés par
    lui-même.
Vous êtes un maître regardant, austère à celui qui vous aime,
Donnez-lui cependant son Dieu, car lui ne Vous a pas donné
    son pauvre cœur à moitié !
Père Abraham, étanchez la soif de ce foudroyé !
L'ancien Moïse à l'ombre seule de Votre présence eut peur,
Disant : Éloignez-Vous tant soit peu de peur que je ne meure.
Mais Paul comme un tabernacle sans fissure et comme un pur
    propitiatoire,
Vivant ne refusa point la société de Votre gloire
Et d'être cet homme-là dont s'émerveille le prophète en sa
    parable,
Disant : Qui de vous habitera avec les ardeurs intolérables ?
O Dieu, l'aiguillon pour nous tous est dur de Votre vérité,
Mais celui qui l'a étreinte est fondu dans une terrible simplicité.
Voyant Dieu, il voit avec Dieu ce monde ingrat et cruel,
Assumant sur son cœur humain la passion du Dieu éternel.
Dieu n'ayant point de voix, il est la voix qui parle à sa place.
Dieu n'ayant point chair ni sang, voici mon corps pour souffrir
    à Votre place,
Et pour continuer ces choses qui manquent à la passion du
    Christ.
Il est simple comme une flamme et comme un cri,
Simple comme le glaive aigu qui atteint la division du corps et
    de l'esprit,

Lamb of God, Who hast promised Thy kingdom to violent men,
Receive Thy servant Paul, who brings to Thee talents—these ten,
Five that Thou gavest him, and other five he has earned.
Thou art a thrifty Master, even to those whom Thy love has
 burned;
Yet give to this man his God, for he gave to Thee all his heart!
Father Abraham, quench his thirst who was struck by the light-
 ning dart!
Moses of old was afraid lest Thy shadow upon him lie,
Praying, "Withdraw a little, my God, else I die!"
But Paul, tabernacle unspoiled and gift propitiatory,
Living, did not refuse companionship with Thy glory,
Nor to be the man whom the prophet describes in parable,
Saying, "Who shall dwell with ardors intolerable?"
The spur of Thy truth, O God, to man is a pain most dire;
But, caught to his heart, it melts him to simplicity like fire.
Seeing God, he sees with God the cruel, ungrateful world
And the passion of an infinite God round his human heart is
 swirled.
Since God has no voice, he is the voice that speaks in His place.
Since God has no flesh or blood, here is mine to suffer disgrace,
To fill up the things that are wanting to the passion of Christ.
Simple is he as a flame by the wood enticed;
Simple as the sharpened blade dividing the body from the
 spirit;

Simple comme la flamme qui pèse les éléments dans sa dé-
vorante alchimie,
Simple comme l'amour qui ne sait qu'une seule chose.
Il va où le Vent le mène, ignorant extinction ou pause,
D'un bout du monde jusqu'à l'autre, comme un feu que le vent
arrache et qui saute par dessus la mer !
Votre amour est comme le feu de la mort, Votre zèle est plus
dur que l'enfer.
Et voyant tous ces petits enfants aveugles et ces peuples qui
meurent sans le baptême,
Il pleure et se tord les mains et demande d'être pour eux ana-
thème.

Moi de même, mon Sauveur, je Vous en prie par ce décapité,
Ayez pitié de ceux que j'aime, de peur qu'ils ne meurent dans
leur incrédulité,
Et pour qu'ils entendent comme moi, avant l'heure où la Sen-
tence s'exécute,
Votre voix qui leur dit : Paul, je suis ce Jésus que tu persécutes.

Simple as a fire that devours the elements ashes inherit;
Simple as love which knows but one treasure.
Whither the Wind lists he goes, never recking of measure,
From pole to pole of the world, like a sea-leaping fire on the
  wind.
Thy love is a deadly flame; more than hell, is Thy zeal uncon-
  fined.
And seeing these poor blind babes and the unbaptized who die,
Wringing his hands, he pleads that for them, anathema on him
  may lie!

By this man beheaded, my Saviour, I pray to Thee for relief!
Have pity on those whom I love, lest they die in their unbelief,
That they may hear as I did, ere the time when Thy mercy falls
  mute,
Thy voice saying, "Paul, I am Jesus Whom thou dost persecute."

Saint Jacques à la fin de juillet a péri en Espagne par l'épée.
Entre les deux mois ardents, il gît, la tête coupée.

Assez de saints Vous supplient pour l'homme, assez de martyrs
  Vous ont fait violence,
Assez de mères en pleurs Vous représentent sa faiblesse et son
  ignorance ;
Il y a toujours quelque chose à dire pour lui, toujours quelqu'un
  pour lui au devant de Votre colère :
Toi, prends le parti de Dieu, Apôtre caniculaire !
Toute prière est toujours pour l'homme, mais qui Vous fera
  pour Vous-même cette
Prière pure et simple, que Votre volonté soit faite !
L'homme a toujours raison et Vous avez toujours tort.
Il en a fait toujours assez, c'est lui qui Vous appelle à son for,
Et juge Vos paroles manquantes, et Vos commandements am-
  bigus,
Votre œuvre mal faite, Votre miel fade et Votre ciel exigu.
Peuple ingrat, ce que le soleil ne vous montre pas, que la
  foudre l'élucide !
Assez longtemps du soleil sur nous régna la face évidente et
  torride.
Sa chaleur est la même pour tous : il vous faut l'attention propre
  et perçante !
Vous appelez l'épée, la voici dans la main toute-puissante,
Et la Mère désespérée déjà n'en soutient plus la lourdeur acca-
  blante !
Que Votre volonté qui est la meilleure soit faite ! et si j'ai
  péché, que je périsse !

At the end of July, Saint James died by the sword in Spain.
Between the two burning months he lies, by the headsman slain.

Saints enough pray Thee for man, martyrs do violence to Thee,
Enough of mothers in tears tells his weak stupidity.
There are always excuses for man, someone Thy wrath to
    placate—
But you, Apostle of the dog-days, be the Lord's advocate!
Petitions are always for man, but for Thine own Self is there
    one
Praying the simple prayer, that Thy will be done?
Man is forever right, and Thou art mistaken by far.
He has done enough of it always: he calls Thee before his bar,
Considers Thy phrases pointless, Thy commandments ambig-
    uous,
Thy work poor, Thy Heaven narrow, Thy bread not mellifluous!
O ingrates, blind to the sun, let the thunder elucidate!
Long enough has the evident sun over us held torrid state:
Its warmth is the same for all; but you need special attention!
You call for a sword, and lo! the Omnipotent holds it in sus-
    pension.
Already the desperate Mother cannot maintain its detention!
May Thy will—the best!—be done! And if I have sinned, let
    me perish!

C'est bien. Si je n'ai Votre pitié, que je voie, du moins, Votre
  justice !
Les temps sont accomplis. Boanergès, appelle Dieu !
Demande la justice, Apôtre coupé en deux !
L'évangile de l'amour est fini, voici la nouvelle du glaive !
Sur la terre qui étouffe et sue l'ombre de la mort se lève.
O peuple appesanti et qui tiens bas la tête,
Plus mûr que la moisson qui t'entoure, la faux est prête,
Et voici, selon qu'il l'a promis, le Christ crucifère,
Qui s'en vient vers toi sur les nuées entre les Fils du Tonnerre !

Good. Let me see Thy justice, if I have not Thy pity to cherish!
The time is ripe. Do thou call upon God, O Son of Thunder!
For justice shout aloud, Apostle cleft asunder!
The Gospel of love is ended; here opens that of the sword.
On the stifling earth that sweats, the shadow of death is scored.
O people of many burdens who lowly hang your head,
Riper than encircling harvests, for you the scythe is red.
Behold the Cross-Bearer, Christ, Whose promise ends in wonder,
Who comes to you on the clouds between the Sons of Thunder!

SAINT PHILIPPE

Le paresseux dit qu'il y a un lion sur le chemin ;
Le timide se lamente et se cache la tête entre les mains ;
Le sage, qui examine et critique tout, ne fait rien ;
Le rêveur, quand sa bulle crève, s'attriste ;
Mais l'homme qui n'espère rien est un terrible optimiste.
La couleur au juste qu'a le ciel et le sens des nuages et des lames,
Que celui-là s'en occupe qui s'occupe de sauver son âme.
L'opinion contraire de tous en impose aux cœurs sensibles :
Mais Philippe se réjouit parmi les choses impossibles.
Où le terrain ne *prête* pas, c'est là qu'il faut *donner*.
Là où l'esprit est à bout, le cœur a déjà outrepassé.
Il est le fourrier sans un sou envoyé par Dieu pour ce repas
De tout un peuple à qui deux cents deniers ne suffiraient pas.
Que les hommes disputent et crient, et qu'ils fassent de leur
    mieux :
Ce n'est pas lui qui est fait pour avoir le dessous, mais eux.
Il est apôtre de Dieu en Pierre qui ne peut se tromper ;
Rien ne lui manque, il est complet, il est absolument fermé.
Il méprise le monde et ces choses qui sont vraies à moitié :
Dieu parle, c'est assez, il n'y a pas de difficulté.
Le message de Dieu qu'il porte, il n'y a qu'à l'accepter tout
    entier ;
Que cela soit agréable ou non, qu'il en coûte le sang ou pis,
Jusqu'à la dernière syllabe et jusqu'à ce point sur l'i.

SAINT PHILIP

The lazy man says that there is a lion upon the road;
The timid has hidden his face in his hands, with tears over-
   flowed;
Examining, judging of all, the wise has no judgment bestowed;
Under his broken bubble, the dreamer is drowned in mist;
But the man who hopes for nothing is a terrible optimist!
The exact shade of the sky, the set of the cloud and the wave—
These are the care of the man who has his soul to save.
The contrary opinion of men affects a sensitive soul,
But Philip delights to find impossible things his goal.
Where the land does not *lend* itself, one must *give* it a turning
   of cheer:
Wherever one comes to wit's end, one's heart can persevere.
He is the penniless steward sent by God for the meal
Of a whole people for whom two hundred pence were no deal.
Let men dispute and shout and strive their very best!
Defeat was made not for him, but for the rest.
He is Apostle of God in Peter, who cannot err;
Naught fails him; he is complete, heart-whole as a sturdy fir.
The world and its semi-truths he holds in mild disdain.
God speaks—that is enough; there is no hesitation nor strain.
The message of God that he carries must be no whit passed by—
Whether it is pleasant or not, let it cost blood or worse—
Down to the final syllable and the very dot on the "i".

Nous sommes faibles, il est vrai, et de peu d'intelligence.

Nous sommes peu nombreux et l'erreur autour de nous est immense.

Le ciel est parfaitement noir, l'espoir est parfaitement fini :
« Montrez-nous le Père, dit Philippe, et cela suffit. »

Weak we are, it is true, and feeble of understanding.
Few are we, besides—and error seems wide-expanding.
The sky is utterly black, hope in a bottomless slough—
"Show us the Father, Lord," says Philip, "and that is enough."

SAINT JUDE

APÔTRE

PATRON DES CAUSES DÉSESPÉRÉES

Saint Jude, qui ne craignit pas de porter le même nom que
　　Judas,
Sans honneur et titre au soleil, consent à n'être invoqué que
　　tout bas :
Patron des causes perdues, priez pour nous, Saint Judas !
Que celui qui n'ose appeler Marie ou quelque patron célèbre
Nomme du moins l'obscur marcheur qui évangélise les ténè-
　　bres !
Car, bien qu'il soit le dernier, Jésus aussi l'a ordonné comme
　　Apôtre ;
Sa moisson est le grain perdu dont ne veulent pas les autres.
Sa journée ne commence qu'au soir, il n'embauche qu'à l'on-
　　zième heure.
Il est plus final que le désespoir et ne guérit que ceux qui meu-
　　rent.
C'est Jude par un seul cheveu qui sauve et qui tire au ciel
L'homme de lettres, l'assassin et la fille de bordel.
Il est le médecin à moitié boucher qui fend comme avec un
　　couteau
Le pécheur qui a le diable au corps et dont on n'aura l'âme
　　qu'avec la peau.

SAINT JUDE

APOSTLE

PATRON OF HOPELESS CAUSES

Saint Jude, who was not afraid of the name of Judas to be,
Without title or claim to honor, consents to a low-voiced plea:
Patron of desperate causes, Saint Judas, pray for me!
Let him who dares not call upon Mary or saint renowned,
Invoke at least this poor patron whose clients in darkness are
    found!
For Jesus ordained him Apostle—him, too, although he was
    last;
His harvest, the fallen grain over which the others have passed.
His day begins in the evening, he hires at the eleventh hour.
More final he is than despair—for the dying his healing has
    power.
Jude can save by a hair and uplift, to boot,
The man of letters, the murderer and the prostitute.
He is the surgeon, half-butcher, who opens as if with a knife
The sinner with the fiend inside, whose soul will rise only with
    his life.

Il est facile d'être secourable en paroles à ceux qui font le
péché mortel :

Mais Jude est un homme du métier et sait le fond de notre poche
à fiel,

Et pas plus que Satan même ne lâche le mauvais prêtre

Qui chaque matin à l'autel est homicide et trois fois traître !

Saint Jude est dans le Nouveau Testament l'auteur d'une étrange
petite Epître

Où l'on parle du prophète Hénoch et qui n'est lue qu'obscuré-
ment au Chapitre.

Il a vu le diable avant la création de la terre, quand il est
tombé du ciel.

Il a entendu ce qu'il a dit et ce que répondit Saint Michel.

It is easy to be helpful of word to those who do mortal sin;
But Jude is a man of his trade and fathoms our rot within—
No more than Satan does, will he leave an evil priest
Who at the altar each day is a traitor thrice increased!

In the New Testament Saint Jude a brief Epistle indited.
It treats of the prophet Enoch and at Chapter alone is recited . . .
Before the creation of the earth he saw the devil fallen from on
   high;
He heard the words that he said—and he heard Saint Michael's
   reply!

SAINT BARTHÉLEMY

Loué soit Dieu qui met le mal à néant et nous libère de la
    crainte !

La souffrance n'a plus douleur avec elle pour nous, la mort
    même n'a plus de pointe.

Nous sommes donc libres enfin ! Qu'on allume le feu qui brûle !

Que les bourreaux fouillent leurs ferrailles et brandissent leur
    petites scies ridicules !

Joie de voir plier tout-à-coup celui que l'on croyait le plus fort !

Ah, grand Dieu ! ce n'est pas trop cher que de payer la victoire
    avec la mort !

Joie de voir l'ennemi dans les yeux qui se trouble, et la paroi

De l'Enfer avec un affreux sanglot qui s'ouvre sous le signe de
    la Croix !

Ah ! prenez nos femmes et nos enfants ! prenez nos biens !
    prenez tout !

Prenez ma vie ! pourvu seulement que ceux-ci aient le dessous.

Prenez ma peau, qu'est-ce que ça fait ? puisque le cœur est à
    Vous.

Prenez mon sang, qu'est-ce que ça fait ? pourvu que j'aie la
    bête infâme !

Prenez mon corps, qu'est-ce que ça fait ? puisque je tiens leur
    âme !

SAINT BARTHOLOMEW

Praised be God, Who sets evil at naught and frees us from
    every fear!
Pain no longer brings grief to us, death is no longer drear.
Free at last are we grown! Blow on the failing flame!
Let the executioners play with their irons and brandish their saws
    in shame!
What joy to see them give way, whom one had supposed the
    more strong!
Great God! For such a triumph one would not prize death at a
    song!
Joy to see in the enemy's eyes that he fears, to see the loss
Gape wide in the wall of hell that yawns at the Sign of the
    Cross!
Ah, take our wives and our children—our goods—take all that
    is mine!
Take my life—provided only that the devil may lose, the swine!
Take my skin, for what does it matter? The heart is certainly
    Thine.
Take my blood! For what does it matter, if I strangle the shame-
    less beast?
Take my body, for what does it matter? My grasp on their soul
    is increased!

On n'a pas mutilé Barthélemy et nulle des deux mains ne lui manque.

On n'a pas lié les pieds de l'Apôtre, on ne lui a pas coupé la langue,

On l'a tiré de son fourreau comme un sabre et l'on a mis au vent

L'Ange ensanglanté du Seigneur et l'homme rouge qui était par dedans.

Marche maintenant, on ne te retient pas ! Fais trois pas, colonne de Dieu !

Rien n'a plus prise sur toi. Tu n'as plus de surface ni de cheveux.

Apôtre vraiment nu ! athlète vraiment dépouillé !

Saint vraiment circoncis de ta chair et de cela qui était souillé !

Fais trois pas. C'est le troisième pas qui fera ta terre chrétienne.

Roi, de Ceux qui vont jusqu'au bout l'étendard et le capitaine !

Juif ! Homme pur ! tu n'as plus de peau ni de visage et l'on ne sait plus qui tu es.

Mais *Lui* n'a pas oublié Son apôtre et te reconnaît.

Jette ça ! il n'y a pas besoin de corps pour entrer dans le Père !

Il n'y a pas besoin de visage pour faire trembler le monde et coucher l'immense Enfer !

Bartholomew was not maimed—of his two hands, neither is
   gone;
The Apostle's feet were not bound; they did not cut out his
   tongue;
They drew him out of his sheath like a saber and loosed to the
   wind
The Master's bloody angel, the red man who was confined.
Now walk, for they do not restrain you! Take three steps, Pillar
   of God!
Nothing more has hold upon you. No hair on your shoulders
   has flowed—
Apostle verily stripped! Athlete, of all despoiled!
Saint truly circumcised of your flesh and of what was soiled!
Take three steps. The third will make this land of yours Chris-
   tian.
King—of those who persevere, the standard-bearer and captain!
Jew! Utter man! No skin nor features you have; one cannot
   discern who you are.
But *He* has not forgotten and knows His Apostle from afar.
Cast it off! No need of a body to enter in the Father's life!
No need of features to shake the world and to crush down hell
   in its strife!

SAINT SIMON

Simon dont on ne dit rien dans l'Évangile et qui ne dit pas un mot
Est l'Apôtre éternellement qui part et qu'on ne voit que de dos.
On n'a rien eu à lui recommander et il n'a pas eu besoin de
    répondre ;
Rien ne manque à ce piéton, devant que lui manque le monde.
Il a pris la terre par le plus large où l'on n'a pas à craindre
D'en voir le bout et la mer par cette échancrure qui va poindre.
Il traverse le Tanaïs, et c'est lui tout seul qui est assis
Près d'un petit feu d'*argols* dans ce désert qui est entre l'Oural
    et l'Obi,
Avec pour spectacle devant lui toute la courbure de la planète.
Il n'a pas besoin de longs discours, ni de livre, ni d'interprète.
Tout son bagage est le nom de Jésus dans sa bouche, dans son
    sac un peu de vin et de farine,
Dans sa main droite la croix et la pierre de la messe sur sa
    poitrine.
Il va vers toute fumée humaine, et le père profondément est en
    lui
Qui retrouve les enfants de ses fils, et les regarde et leur sourit,
Et qui les trouve beaux, et se loue de ces âmes obéissantes !
Les baptisés camards le regardent, bouche béante,
Qui part, car il faut partir, quand il se retourne vers eux,
Tout riant dans le soleil avec des larmes plein les yeux !

Simon, of whom naught is said in the Gospel, who speaks not
    a word,
Is the Apostle always departing, whose efforts are ever trans-
    ferred.
No message the folk had to give him, no words on his lips he
    twirled.
This wayfarer lacked for nothing, until he lacked the world.
He has chosen the earth at its widest—where a man needs not to
    quake
For fear of reaching its edge—and the sea where it starts to
    break.
Along the Tanaïs he moved, and solitary he sits
At a fire of dung in the desert that Ural to Obi knits,
With a spacious view before him of the planet's amplest curve.
No need has he of interpreters, of books, or to speak with verve.
His baggage the Name of Jesus in his mouth—in his sack, wheat
    and wine,
The cross in his sturdy right hand and a Mass-stone for breast-
    plate design.
Toward all human fires he goes, with a fatherly interest the
    while,
To seek out the sons of his sons and gaze upon them and smile,
Finding them fair, and rejoicing in each obedient soul!
The flat-nosed converts stare, open-mouthed, unconsciously
    droll,
When he goes—for he has to go!—and turns as his pathway
    veers
To smile, with bright sunlight upon him . . . his eyes full of
    tears.

SAINT JACQUES-LE-MINEUR

Tous les Apôtres sont partis, Jacques seul, frère du Christ, est resté
Dans cette Jérusalem que les vrais Israélites ont désertée,
Dans cette ville maintenant parfaite et comble jusques aux bords
D'un peuple sur qui le Sang est retombé et qui attend la mort.
Le Temple blasphématoire est là qui a encore quarante ans à durer.
Le peuple est complètement réuni, compact, et pur, et préparé,
Qui va ensemencer le monde aux quatre Vents partout où commence Jésus,
De son droit, de son grief, de sa foi et de son refus.
Jacques, frère de Jésus, qui, dit-on, eut la même Anne pour grand'mère,
Vierge et sensible comme Jean, naïf et droit comme Pierre,
Prie sans interruption pour son peuple, sachant que sa prière est sans fruit.
Il n'écoute aucun refus de Dieu, il écoute le temps qui fuit,
Il reste à la même place, il sait, il a horreur, et il prie !
Il s'est fait débiteur à court terme et comptable de chaque seconde.
Il prie, non pour dix ans seulement, mais pour jusqu'à la fin du monde.
De Méquinez à Yokohama, et de San Francisco jusqu'à Varsovie,
Tant qu'il y aura un seul Juif qui ne soit pas converti,

SAINT JAMES THE LESS

All the Apostles have gone. Only James, brother of the Lord,
  has remained
In this Jerusalem whence the true Israelites have been drained,
In this city entirely perfect, replete unto a hair's breadth
With a people bespattered with the Blood and awaiting death.
There stands the blasphemous Temple, four decades before it
  still.
The nation is wholly united, compact, impregnate with ill,
About to sow on the winds wherever Jesus is known
Its law, its sorrow, its faith . . . its refusal of stone.
James, brother of Jesus, grandson of the same good Anne,
Like John, a virgin and tender, like Peter, guileless of plan,
Unswervingly prays for his people, knowing his prayer without
  fruit.
Yet he hears no rebuff from God, though time's passing is loud
  of bruit.
He stays in one place, he knows, he is shaken with horror and
  prays!
He has contracted a debt on short loan and the worth of each
  second weighs!
He prays not just for the years, but up to the end of time.
From Meskes to Yokohama, San Francisco to Warsaw's clime,
As long as there lives a Jew who has clung to his error's way;

Tant qu'il y aura un seul Juif qui dans sa main détestable

Serre l'écrit que Dieu a donné à Moïse et la signature incontestable,

Tant qu'implacable, sachant lire, impénétrable à la contrainte
et au dol,

Il ne lâche pas l'écrit et ne rend pas à Dieu Sa Parole,

Aussi longtemps l'en-demain de ce monde pécheur est assuré,

Aussi longtemps comme les autres dans l'espace, lui, fixe
Apôtre dans la durée,

Jacques est à genoux devant Dieu et le regarde, les dents serrées !

As long as there is a Jew who grasps in his hand like prey
The writing that God gave to Moses, with its incontestable seal,
While implacable, stubborn to read, impervious to force or to
    guile,
He will not release the writing nor render to God His word;
As long as this sinful planet from its orbit is no whit stirred;
As long as the others fill space, from his mission not to be
    wrenched,
James kneels upright before God and looks at Him, teeth
    clenched!

SAINT MATTHIEU

C'est Matthieu le publicain qui eut cette idée le premier,
Sachant la force d'un écrit, de coucher en noir sur le papier
Jésus, exactement ce qu'Il a dit et ce que nos yeux ont vu.
C'est pourquoi retrouvant l'ancien outil qui servait jadis à ses
    calculs,
Consciencieux, tranquille, imperturbable comme un bœuf,
Il commence lentement à labourer son grand champ de papier
    neuf,
Il fait son sillon, revient, prend l'autre, afin que rien ne soit omis,
Ce que sa mémoire lui offre et ce que dicte le Saint Esprit,
Non point pour un temps seulement, mais pour toute l'Église
    indivisible,
Le Verbe de Dieu avec nous en ces petites lignes inflexibles.
« En ce temps-là » le Maître dit ceci, vint là, et fit telle action.
Ce n'est pas son affaire de donner aucune explication.
Il n'y a aucune raison de le croire, sinon qu'il dit vrai.
Il n'y a aucune raison à Dieu autre, sinon qu'Il Est.
Et parfois notre sens humain s'étonne, ah, c'est dur ! et nous
    aimerions mieux autre chose.
Tant pis ! le récit tout droit continue, il n'y a repentir ni glose.
Voici Jésus au delà du Jourdain, voici l'Agneau de Dieu, voici
    le Christ,
Voici, qui ne changera jamais, le Verbe écrit.
Le nécessaire seul est dit, et partout un petit mot irréfragable
Barre à point nommé l'ouverture de l'hérésie et de la fable,

SAINT MATTHEW

Matthew the publican, who knew the force of a writing,
Was first to have the idea, black upon white inditing
Jesus, just what He said and what our eyes have seen.
So, finding the ancient tool of his calculations clean,
Conscientious and calm, imperturbable as an ox,
Slowly he starts to plough the field of new paper stocks.
He draws his furrow, returns, takes another, that naught be
    lost
Of what his memory tells or of words of the Holy Ghost.
Not for one generation only, but for all the Church indivisible,
The Word of God unbendingly in these little lines is visible.
"At that time" the Master said this, came there and did such a
    deed.
It is not his business to add a comment upon his screed.
There is no reason to believe it, except that he speaks true;
No more is there reason for God, except that He is.
Sometimes our human thought staggers; we could change so
    much or emboss!
Too bad! The recital goes straight, without hesitation or gloss.
Here is Jesus beside the Jordan, the Lamb of God, the Christ;
For this record that never will change, the Word has sufficed.
Only the needful is said, yet at each point a word avails
To set an impregnable barrier against heretical tales,

Pousse un chemin rectiligne par le milieu
De ceux-là qui nient qu'il est homme, de ceux-là qui nient qu'il
   est Dieu,
Pour l'édification des Simples et la perdition de ceux qui ne
   le sont pas,
Pour la rage, agréable au Ciel, des savants et des prêtres rené-
   gats.

To cleave an unswerving line through the crowd that plod
Of those that deny He is Man, of those that deny He is God;
For simple men's edification and destruction of those who have
  ceased
To be simple; for the Heaven-pleasing rage of the pedant or
  the renegade priest.

SAINT ANDRÉ

Pierre se réserve la rame et cette fois laisse à son frère l'épervier.

Ce n'est pas peu de chose à la mer qu'un frère qui sait son
métier.

Il est puissant, il est debout, il est nu, et ne fait qu'un avec le
bateau,

Et soudain, comme un grand nuage de tous côtés, sur la paix
rase de l'eau,

Le filet savamment replié à son bras part, s'épand, s'épanouit,

Tombe, file, fond comme un aigle à pic et comme un orage de
plomb,

Boit d'un seul trait sa corde et rabat son envergure invisible
vers le fond.

La barque évite, il n'y a plus qu'à attendre et à surveiller

La ligne, aussi raide que du fer, qui s'enroule aux grosses mains
endommagées.

Mais, grand Dieu ! que c'est lourd, cette fois, à remonter ! Il tire.

Son frère l'aide, la prise est grande, et tous deux n'y peuvent
suffire.

Et soudain la poche énorme apparaît, pleine de choses vivantes
qui bouillent,

Le bruit gras, bien cher au pêcheur, du poisson qui reluit et
qui grouille !

Et bien que le bord touche l'eau et qu'on soit près de chavirer,

« Vive Dieu, si je ne les garde tous, dit l'Apôtre, et si j'en rejette
un seul à la mer !

« Et sans doute qu'ils aimaient mieux leur ténèbre et le fond
vaseux, mais tant pis !

SAINT ANDREW

Leaving his brother the net, Peter chooses the oar.
Of no small worth on the sea is a brother good at his chore!
Stripped and stalwart he stands, one piece with the vibrant
    boat,
And lo! on the placid sea, like a cloud from all quarters re-
    mote,
The net so skilfully plied drops from his arm, to spread,
Fall and pull and sink, like an eagle headlong or like lead,
Gulps its cord at a draught and presses its mouth to the slime.
The boat moves aside. One has only to wait and to watch the
    line
That pulls like an iron rod on the big hands worn with toils.
Great God, but the thing is heavy to lift! The water roils.
His brother helps, the catch is enormous, the two of them can-
    not suffice—
But, full of live things that wriggle, the bag appears in a
    trice,
With the guttural noise of the fish, resonant, gleaming!
Water lapping the gunwales, on the point of disaster—so seem-
    ing—
"By the Lord, I will keep them all and throw not one of them
    back!
Of course they prefer their lairs and their muddy bottom, alack!

« Ils sont à moi, c'est la guerre ! dit l'Apôtre, et je ne demande pas leur avis. »

Ils ouvrent de gros yeux, palpitent et ne parlent pas.

C'est une grande chose qu'un poisson, quand Jésus en fait son repas,

Un poisson dans la barque d'André et de Saint Pierre de Rome,

Quand le plus petit quelquefois suffit à rassasier cinq mille hommes !

Pierre, André ! c'est la mer toujours ! levez-vous au nom de Dieu, et jetez le rets à droite.

Et sans doute la nuit fut stérile et l'espérance très étroite.

Mais voici présentement le matin et le ciel qui blanchit depuis l'Europe jusqu'en Amérique !

Lève-toi, au nom de Dieu, pêcheur d'hommes, et jette le grand filet Œcuménique !

La moisson dans la profondeur est là et la chose innombrable qui va paraître.

Jette le filet au nom de Dieu, Pêcheur, et donne-nous des prêtres !

Prends-les de toutes parts dans ton filet, tire-les de force au jour supérieur,

Comme un être qui pense mourir, et qui palpite, et qui voudrait être ailleurs !

Car pour l'absolution et le sacrifice bon gré mal gré il nous faut des prêtres et des évêques,

Des prêtres qui nous donnent l'âme et le corps de Dieu à manger et les leurs avec !

Va ton chemin sans t'inquiéter vers le port, Patron, la barre est bloquée,

Vois ton frère à jamais sur la roue qui fait la Croix de Saint André,

Crucifié sur le Compas et sur la Rose des Vents,

But they're mine—and this is war!" says the Apostle. "They
shan't be consulted!"
They open wide eyes and pant—no response has resulted!
A fish is a wonderful thing—since upon it Jesus has dined—
One fish in the bark of Andrew and of Peter of Rome con-
fined,
When a single one sufficient for five thousand men we find!
Peter, Andrew! Here still is the sea! Rise in the Name of God
and cast your net on the right!
Oh, doubtless the night was sterile and hope not remarkably
bright;
But now is the moment of dawn, from Europe to America set!
Fisher of men, in God's Name, cast the ecumenical net!
There in the depths is the catch, things countless that shall
appear.
In the Name of God, O Fisherman, bring us priests from the
water so drear!
Gather them into your net, drag them up perforce to the day,
Like creatures expecting to die, who would quiver and dart
away!
For absolution and sacrifice, willy-nilly, we must have priests,
Of the Body and Soul of God—and their own—to give us feasts!
Go your way to the port unworried, O Captain, the helm is
fast.
See your brother on the Cross of Saint Andrew as long as time
shall last,
Crucified on the Compass and on the Rose of the Winds,

Comme il convient à un marin et passeur du Dieu Tout-Puis-
    sant,
Circonvenu de tous côtés par la Croix, selon qu'il est écrit
Dans le Martyrologe de Novembre et les Actes de ceux d'Achaïe !

As befits a sea-going sailor of the God Whom no power binds—
On all sides circumvented by the Cross, as one may read
In the November Martyrology of Achaia's hero breed!

SAINT THOMAS

Comme un homme qui ne commence pas à bâtir avant que tout
   l'argent soit réuni,

Comme un prince qui ne déclare pas la guerre avec vingt mille
   hommes quand il en a cent mille contre lui,

Ainsi Thomas qui laisse l'Évangile (et l'année), presque tout,
   finir avant que son nom s'y trouve.

Et certes il suit Jésus, ne dit rien, mais l'on ne voit pas qu'il
   approuve,

Jusqu'à ce qu'il s'avance, tout-à-coup (un peu avant que le
   calendrier soit fini),

Et crie violemment aux autres : « Allons et mourons tous avec
   Lui ! »

Mais, Seigneur, cependant pour moi c'est une grande chose que
   de mourir !

C'est une grande chose que d'être Votre Apôtre et cependant
   je suis prêt à consentir.

Je suis prêt à croire ce que Vous dites, à la condition que ce
   soit sûr,

Je suis prêt terriblement à m'ouvrir si Vous savez porter dans
   ce cœur dur,

Plus dur qu'une souche de chêne et qu'un bois serré de châ-
   taignier,

La hache et le coup si profond que le fer y reste enfoncé !

SAINT THOMAS

Like a man who does not start to build before planning what
    he can afford,
Like a prince with a handful of men who declares no war on a
    horde,
So Thomas, who lets pass the Gospel (and the year) almost
    whole ere his name is found.
Surely he follows Jesus, but gives in approval no sound
Until he stands forth on a sudden (before the year's end grows
    dim)
And cries full-voiced to them all, "Let us go and die with Him!"
For, Master, remember, for me to die is a costly thing,
And costly to be Thine Apostle; but this sacrifice I will bring.
I will even believe what Thou sayest, on condition that it be
    sure:
I will open my bosom wide, wilt Thou drive to my heart so
    dour—
More hard than an oaken stump or a chestnut with grains close-
    serried—
The axe, in a blow so deep that the iron must stay there buried.

Et je veux bien mourir, mais c'est à la condition

Que Vous mouriez le premier et que toute la Passion,

Toute sans qu'il y manque rien soit consommée, et que de
nouveau Vous soyez là,

Ressuscité de la tombe, et que Vous me disiez : Thomas !

Je veux bien Vous croire, Seigneur, et faire ce que Vous
voulez,

Si Vous souffrez que je sois un moment dans les trous de Vos
mains et de Vos pieds.

Et je dirai que c'est Vous et que Vous êtes mon Dieu et mon
Seigneur,

Si Vous me laissez Vous toucher et mettre la main dans Votre
cœur !

Yes, I am willing to die; but that must be on condition
That Thou wilt die the first and that every detail of the Passion—
All—be consummated, and, pursuant to the promise,
Thou mayest rise from the tomb and mayest say to me,
  "Thomas!"
Verily I will believe, obey Thee with reverence meet,
If I may but touch the holes they have dug in Thy hands and
  feet.
I will proclaim it is Thou, my Lord and my God Thou art,
If I may but feel Thy wounds and put my hand in Thy heart!

SAINT JEAN-L'ÉVANGÉLISTE

Jean qu'on chargeait toujours d'interroger le Seigneur dans les cas difficiles

Parce qu'il était le plus jeune et que Jésus l'aimait, — grave et tranquille,

L'étole au flanc comme un prêtre qui va être consacré,

Ecoute le Fils de Dieu qui prie et qui parle avec solennité.

C'est l'Institution de la Messe avant la consommation de la Croix.

Jean a reçu l'Azyme, il accepte le calice et il boit.

Il boit jusqu'au fond son ami, il boit son maître, il boit son Dieu !

Il boit l'âme et le corps, il boit le sang divin et ferme les yeux.

C'est ainsi que notre cœur s'ouvre et quelqu'un enfin y pénètre,

Voici Jésus avec Jean, voici Dieu dans son pouvoir, il est prêtre,

Mon Dieu, voici le simple Jean pour que Vous soyez un seul avec lui !

Il n'est point de plus grand amour que de mourir pour son ami.

Il n'est échange si profond que celui d'une double préférence.

Jean est avec Vous sacrifice et consomme sous les deux apparences.

SAINT JOHN THE EVANGELIST

John, who was always chosen to question the Master in straits,
Being youngest and loved of Jesus, now, tranquil and reverent, waits,
The stole on his shoulder, like one who soon will be ordained,
Listening to the Son of God, Who has prayed and His Gift has explained.
It is the institution of the Mass before the Cross's consummation.
John has received the Pasch, he accepts the chalice of oblation.
He drinks to the dregs his friend, he drinks his master, his God!
He drinks the Soul and the Body, he drinks the sacred Blood.
Just so does our own heart open and someone impenetrate.
Here is Jesus with John, God in his power, new-ordinate!
My God, here is John that Thou be in him without end.
There is no greater love than that a man die for his friend.
There is no exchange so profound as that of a mutual adherence:
With Thee is John sacrifice—receives Thee under both appearances.

Ce Jésus sensible à sa droite, le même qui est le Seigneur,

Il vient tout entier de Le boire et sait ce qu'il y a dans Son
cœur.

Il sait ce qu'il y a dans Son cœur et que sa demeure y est
prête.

Il a trouvé son lieu à jamais et la place où poser sa tête.

Maintenant Jean est très-vieux et il est tout blanc de barbe et
de crinière,

Et son visage aussi est si blanc qu'on dirait qu'il en sort de la
lumière.

On voit sur lui s'achever l'œuvre d'une étrange vieillesse,

L'étrange éclat sur ce vieillard aux cils blancs du Séraphin
qui commence,

L'Aigle à demi déployé parmi les Six Ailes qui naissent !

Il ne dit que peu de choses et se prépare au silence.

Jean, plus qu'apôtre le fils, et docteur du Verbe fait chair,

Que Jésus sur le Golgotha substitua près de sa mère,

Jean qui vit tout jusqu'à la fin et se tenait sur la raie

Entre la terre et la mer pendant que le Septième Sceau se
déchirait,

Jean n'a plus qu'une parole pour nous et n'en ajoute aucune
autre !

« Mes petits enfants, aimez-vous les uns les autres. »

Il est tout blanc. C'est le soir. C'est Éphèse. Il est assis sous
un pin.

Une vieille petite perdrix dans son giron s'est blottie et lui
donne des coups de bec sur la main.

This visible Jesus beside him, Who verily is the Lord,
Him he has just imbibed . . . and now knows that Heart adored!
John knows what there is in His Heart and the nook whither
    love shall be sped:
He has found his home forever and a place to lay his head.

Now John is advanced in years, whitened of beard and of hair,
His face between them so blanched that light seems pulsating
    there.
Quintessence of strange old age has wrought upon him its best:
On the white-haired patriarch the gleam of the Seraph blessed,
The Eagle just half concealed among the six nascent wings!
He speaks but rarely, preparing to dwell whence Silence springs.
John, more than Apostle the son, spokesman of the Word made
    flesh,
Whom Jesus on Calvary gave His Mother, a son afresh:
John, who saw all to the end and stood on earth's utmost bourne
Between the sea and the sky, while the Seventh Seal was torn;
John, for us has only one phrase and adds to it not one other!
"Little children, love one another!"
Pure white . . . Dusk . . . Ephesus . . . Under a pine on the
    sand . . .
A little old partridge has cuddled in his lap and pecks at his
    hand . . .

LA DEUXIÈME PARTIE DE L'ANNÉE

THE SECOND PART OF THE YEAR

LA VISITATION

Le prêtre Zacharie d'Hébron, père de Jean, était une espèce
de pope ou comme l'un de nos curés,
Car les prêtres dans ce temps-là avaient la permission de se
marier.
Et sans doute aussi qu'il avait un petit jardin derrière son
presbytère,
Tout plein de ces fleurs qui ont une odeur très forte, spéciales
aux jours caniculaires.
C'est là que Marie, *abiens in montana*, est allée voir sa sœur
Elisabeth.
Elle, la regarde, et dit : Ah ! Elle dit : Ah ! seulement et
baisse la tête,
Car elle a tout compris d'un seul coup, son sein a profondé-
ment tressailli,
Et joignant ses deux mains de pauvre femme, elle dit bien
bas : *Unde hoc mihi ?*
Et il me semble aussi que je suis là, qui regarde tout.
Et je vois les coins de la pauvre bouche qui tremblent et les
larmes qui apparaissent tout-à-coup,
Ces larmes profondes des gens qui ne sont plus jeunes, d'un
cœur qui manque et qui s'anéantit,
Et cette grimace que l'on fait quand on pleure comme quelqu'un qui rit.

THE VISITATION

Zachary, priest of Hebron, father of John, was a sort of *papa**,
   with a rectory like our curé—
For the priests at the time we are speaking of might have their
   wedding-day.
Doubtless, too, behind his house he had some garden room
Redolent then of the fragrance the dog-days call forth from a
   bloom.
There, going into the hill-country, young Mary encountered her
   cousin.
Elizabeth looked and said, "Oh!"—just "Oh!"—and lowered
   her gazing.
For she had learned all in a moment—the child beneath her
   bosom had started!
"Whence is this to me?" she cried, her work-worn hands half
   parted.
Now I seem to myself to be there and to look upon all.
I see the twitch of her lips and the tears that are ready to fall—
Slow tears of a woman past youth, of a heart that is fainting
   away,
Her mouth as twisted with weeping as if with a smile's swift
   ray.

---

* The Hellenic Church has two divisions of clergy, one consisting of the *popes* or
papas, who marry before they take orders and cannot become bishops; the other,
called the upper clergy, chosen from among the monks.—*Cf. Catholic Encyclopedia*,
15:101b. The French word that is used to refer to the Holy Father is not "le pope",
but "le Pape".

Elle pleure, mais la joie incommensurable est dans ses yeux.

La mère de Saint Jean-Baptiste regarde la mère de mon Dieu !

O bienheureuse Élisabeth, qui vis Marie dans le premier *Stabat*,

La Sagesse éternelle de Dieu récitant le *Magnificat* !

Ah, puissions-nous, comme vous ce soir-là dans le petit jardin judaïque,

Refaire cette promenade pas à pas que font tous les fidèles catholiques,

Et quand nous avons bien ouvert notre cœur coupable et que nous avons tout dit,

Sentir dans notre main qui tremble les doigts de notre mère Marie !

« Je vous salue, Marie, pleine de grâce, le Seigneur est avec vous, vous êtes bénie. »

She weeps—but her tears have sprung from a joy unmeasured
    by rod—
For the Baptist's mother has looked on the beautiful Mother
    of God!
O blessed Elizabeth, to whose ear hath fallen the lot
To hear the Wisdom of God recite the *Magnificat!*
Ah, could we but walk as you walked in your Judean garden
    that eve,
Retrace step by step the path that is trodden by all who be-
    lieve,
And when we had opened our hearts and had driven the guilt
    from our breasts,
Could we but feel on our hands our dear Mother's fingers
    pressed!

"Hail Mary, full of grace, the Lord is with thee. Thou art
    blest!"

LA TRANSFIGURATION

Montons au Thabor avec Lui : Jésus est mûr.
L'hostie va être un instant élevée, voici le centre des Saints
    Mystères.
L'homme parfait dans le Christ atteint sa parfaite figure,
Et ses pieds comme d'eux-mêmes se séparent de la terre.

Le grain est dur, la grappe est grosse, c'est l'été.
Les temps sont venus que Dieu enfin couronne Sa création
    tout entière.
L'homme est l'animal parfait, Jésus est l'homme consommé,
Toute forme vivante en lui atteint son suprême exemplaire.

Ce qui est vêtement devient comme de la neige, ce qui est
    chair brille comme de la lumière.
La Loi et les Prophètes aussitôt apparaissent en sa présence,
Comme l'iris où ne manque pas le soleil, et le Fils quand
    voici le Père :
« Tu es mon Fils bien-aimé en qui j'ai mis ma complaisance. »

Lisons-nous qu'à ce moment notre frère nous ait été changé ?
Son visage, ses yeux, — son cœur ; — ses pieds que nous
    avons touchés ?
Rien n'est changé dans le Christ, mais tout est transfiguré,
La figure pleinement répond à la chose figurée.

THE TRANSFIGURATION

Let us mount upon Thabor with Him: Jesus is matured.
The Host will be raised for a moment—it is the center of the
  Sacred Mysteries.
Man perfected in Christ has his perfect expression secured
And His feet, as if of themselves, depart from earth's histories.

The wheat is firm, the grape is big: summer is here.
The time has come at last for God to crown His whole creation.
Man is animal perfected; Jesus is Man without peer:
Every form of life in Him attains its consummation.

What is garment becomes like snow; what is flesh as the light
  is shining.
The Law and the Prophets at once appear in His presence
Like the rainbow where sun does not fail, and the Son at the
  Father's inclining:
"Thou art My well-beloved Son, in Whom I take complacence."

Do we read that at that moment our Brother to us was changed?
His face, His eyes—His heart; His feet that we have caught?
Nothing is changed in Christ, yet all is clearly transfigured:
Like to the thing that it figures the figure is now fully wrought.

C'est nous-mêmes pour toujours ! C'est notre corps même et c'est notre mesure !

C'est le fils de Marie et de Joseph, et c'est

Où bat ce cœur en qui un seul Jésus est fait d'une double nature

La Deuxième Personne de la Trinité qui dit au Père ce qu'Il est.

O paroxysme avec Dieu de la parole sur le Thabor !

Un seul instant et ce qui passe avec Jésus a passé,

L'homme naturellement passe à son auteur sans la mort,

Un seul instant, et l'homme passe à ce qui n'a pas commencé !

Silence et vaste abandon de la terre qui est quitte et dépouillée !

Et soleil fixe au ciel de ce dur jour où je suis né.

O petit astre créateur, terrible à la chair créée,

Lorsque tout le ciel et la terre se montrent en leur évidente vacuité !

Que m'importent la terre et le monde, et tout ce remplissage de fables ?

Quand Dieu est là et que je suis spéculateur du fait.

Je sais que ce n'est point ma nuit, c'est le Jour qui est véritable,

C'est l'infirme soleil en moi qui veut naître de *ce qui est*.

It is ourselves forever! Our very body and stature!
It is the Son of Mary and Joseph; it is
The seat of that heart where one Jesus is made of a twofold
    nature,
The Second Person of the Trinity Who says to the Father what
    He is.

Oh, paroxysm with God of that converse upon Thabor!
A single moment, and what can pass of Jesus has gone—
The man speeds naturally to His Maker without death's labor:
A single instant and man has passed to What had no dawn!

Silence and wild abandonment of the earth bereft, disarrayed!
And sun fixed in the sky of that harsh day I was born.
Oh, tiny creative luminary, awful to flesh that was made,
When the sky and the earth stand revealed in their emptiness
    —forlorn!

What matter to me the earth and the world that so many fables
    imbue,
When God is there and I am witness that He is?
I know it is not my night, but the Day that is true:
Within me I feel the puny sun seeking life from *Him Who is.*

CHANT DE LA SAINT-LOUIS

Les mailles du filet sont dissoutes et le filet lui-même a disparu.

Le filet où j'étais retenu s'est ouvert et je n'y suis plus.

Je n'ai plus pour prison que Dieu et la couleur sublime de la terre.

C'est toujours la même moisson et c'est le même désert.

Aucun chemin n'y conduit, il n'y a pas de carte de la contrée,

Mais le travail à la même place dans la boue, dans la pluie et dans la durée.

Aucun chemin n'y conduit, mais le temps et la foi dans le mois d'août.

Et nous n'avons point changé de place, la voici radieuse autour de nous.

Bénis soient l'entrave jusqu'ici et les liens qui me tenaient lié !

Il les fallait forts et sûrs avant que la prison soit arrivée.

SONG FOR SAINT LOUIS' DAY

The meshes of the net are dissolved and the very net itself has
    disappeared.
The net that held me fast is open; I am free of my bonds that
    seared.

No prison have I now but God and the heavenly hue of the
    earth.
There is still the same harvest around me . . . and the same
    abundance of dearth.

Not a road leads hither, not a map of the country's shape gives
    assurance,
But work holds its ancient place in the mud, in the rain and in
    endurance.

Not a road but the weather and the Faith leads hither, in this
    August heat;
Nor have we moved from our place—see its brilliance about us
    beat!

Blessed be the fetters up to now and the bonds that held me
    bound!
They had to be strong and secure until the prison was found.

Ma prison est la plus grande lumière et la plus grande
 chaleur,
La vision de la terre au mois d'août, qui exclut toute possibilité d'être ailleurs.

Comment aurais-je du passé souci, du futur aucun désir,
Quand déjà la chose qui m'entoure est telle que je n'y puis
 suffire ?

Comment penserais-je à moi-même, à ce qui me manque ou
 m'attend,
Quand Dieu ici même hors de moi est tellement plus intéressant ?

Ce champ où je suis est de l'or, et là-bas au-dessus des chaumes,
Cette ineffable couleur rose est la terre même des hommes !

La terre même un instant a pris la couleur de l'éternité,
La couleur de Dieu avec nous et toutes les tribus humaines
 y sont campées.

Ineffable couleur de rose et les multitudes humaines y sont
 vivantes !
Une mer d'or et de feu entoure nos postes et nos tentes.

C'est le jour de la Saint-Louis, Confesseur et Roi de France.
Je tiens l'étoffe de son manteau dans mes doigts, les gros épis
 rugueux de blé qui en forment la ganse.

My prison is the brightest light and intensest heat of the air,
The vision of the earth in August that forbids one to be else-
where.

How could I have care for the past, for the future know any
desire,
When already the atmosphere around me is more than my
strength can respire?

How could I take thought for myself, of what I need or await,
When God Himself so near has all that my interest can sate?

This field where I stand is golden and yonder above the thatch
The earth is the vision of rose your incredulous gaze can catch.

The earth itself for a moment has donned eternity's hues,
The color of God among us the tents of the human race bedews.

Ineffable roseate shimmer in which living thousands are
drenched!
A sea of gold and of fire floods the camp where we lie en-
trenched.

This is the feast of Saint Louis, Confessor and King of France.
His mantle I hold in my fingers; on its border rough wheat-stalks
dance.

De toutes parts je vois les meules qu'on bâtit et les rangs de
gerbes entassées,
Et les profondes fumées grelottantes des avoines qui ne sont
pas coupées.

L'étoffe est d'or et la bordure est de velours bleu presque
noir,
Comme la double forêt qui était autour de Senlis hier soir.

Quelle tristesse peut-il y avoir quand chaque année le même
mois d'août est fatal ?
La tristesse n'est que d'un moment, la joie est supérieure et
finale.

La lumière a tout gagné peu à peu et la nuit est exterminée.
De grosses compagnies de perdreaux sous mes pas éclatent
sur la terre illuminée.

Je sais et je vois de mes yeux une chose qui n'est pas men-
songère.
Je suis libre et ma prison autour de moi est la lumière !

La terre rit et sait et rit et se cache dans le blé et dans la
lumière !
Pour garder le secret que nous savons, ce n'est pas assez que
de se taire !

All over it I see the millstones they set and the sheaves upthrown
And the thick quivering smoke of the barley—the stalks they
   have not yet mown.

The cloth is of gold and its border in velvet of blue almost
   black,
Like the double forest that stood around Senlis, one evening
   back.

What grief can there be in that, when August each year is
   fatal?
Grief has the life of a moment, but joy will endure no abatal.

The light has won, bit by bit, and night is exterminated.
Great coveys of partridges rise on the earth so illuminated.

I know—with my own eyes I see—a fact in all verity bright:
I am free, and around me my prison is the very essence of light!

The earth laughs, is wise and laughs—and hides in the wheat
   and in luminance.
To preserve the secret we know, we have need of more weapons
   than silence!

HYMNE DES SAINTS ANGES

A Gabriel Frizeau.

Le Dieu fort, le Dieu des Armées,
Qui, d'un seul mot disséminées,
Créa toutes choses ensemble,
Pour que toutes lui ressemblent,
Même Béhémoth qui beugle,
La bête qui ne le connaît pas,
Les hommes qui ne l'aiment pas,
Les semences d'âmes sans yeux,
Et par millions dans les cieux
Les astres radieux et aveugles,

Voulut aussi près de son cœur
En deçà des choses visibles
Se réserver pour serviteurs
Les ordres inextinguibles
D'êtres en qui tout fût esprit.
Vision sans aucun mélange,
Amour où ne préjudicie
Rien d'extérieur et d'étrange.
Ceux-là sont ses enfants chéris,
C'est la Garde dans la Nuit,
Le chœur mystérieux des Anges !

HYMN OF THE HOLY ANGELS

To Gabriel Frizeau

The strong God, the Lord of Hosts,
Who on near and distant coasts
Summoned all the things created
That each to Him might be related—
No less Behemoth, intertwined
With ill, than beasts who know Him not,
Than silly men who love Him not,
Whole furrows full of eyeless souls,
And overhead a sky where rolls
A myriad brilliance, stars all blind—

Wished furthermore against His Heart,
Above all things distinguishable,
To keep as servitors apart
The orders inextinguishable
Of being that is solely spirit.
Vision, where no mists can start;
Love, enduring no estrangels
Through aught exterior, perishable;
Children in His Heart, or near it;
Guard for night—let harm endear it!—
Choir mysterious of Angels!

167

C'est une armée qui salue !
C'est un peuple dans l'Aurore !
C'est l'office, qui continue
Vers le Père, ininterrompu
De ceux-là qui étaient d'abord !
En présence de l'Unité
C'est le Nombre qui adore !
C'est l'âme entièrement sonore
Et de sa source indétachée
Qui regarde la vérité.
L'enfant fidèle et parfait
Regarde celui qui l'a fait.

Dieu qui, chacun par son nom,
Connaît tous ses petits oiseaux,
A rassemblé dans sa maison
Qui est scellée de sept sceaux
Ces grains ailés par millions
Dont chacun diffère en espèce.
Du Séraphin à l'Ange ils sont
Les types et les promesses
De toute la Création,
Et dans l'Eternelle Sion
La Préface de la Messe.

Nul ne s'agenouille et ne prie,
Nul ne donne raison à Dieu,
Nul ne pleure et ne voit sa vie,
Nul avec un cri douloureux
Ne s'ouvre au Fils de Marie,
Sans que son âme ensevelie
Ne se pénètre peu à peu

It is an army at salute!
It is a race alert at Dawn!
It is the service, absolute
Unto the Father, never mute
Because of those once here, now gone!
In presence of the Unity,
The Number into praise is drawn!
The soul, in sweet community
With truth, in importunity
Can vibrate as a lute.
The loyal child, all bars withdrawn,
Regards the Power Who made him son.

God, Who knows by their names
All His flocks of tiny birds,
Has made into His home to pass—
Sealed with seven seals of words—
Millions of these wingèd flames,
Each distinct within its class.
The chain of seraphs swings, engirds
The types and prophecies of fames
That all Creation will surpass;
In Zion not to end, proclaims
The Preface of the Mass!

No one kneels and no one prays,
No one bends to God his mind,
No one weeps his wasted days,
No one can with sobs unbind
His secret thought to Mary's Son
But feels his shrouded soul is won
And down its labyrinthine maze,

De l'aimable compagnie
Des Anges délicieux :
O éclosion de l'Ami !
Du frère spirituel,
Du guide qui nous est choisi
Pour nous communiquer le Ciel
Et nous fondre à la hiérarchie
De ceux-là dont il est dit
Qu'ils ne prennent ni ne sont pris
En mariage corporel !
Nul du Père n'est accueilli
Qui n'est semblable à ses petits.

Lorsque le soleil se lève,
L'œuvre de la terre commence.
Le champ propose, l'homme achève.
Et quand il a fait son labour
Le soleil reprend à son tour
La moisson qui gagne accroissance
De la nouvelle semence.
Tel, une fois dans le sentier
De l'étroite et longue science,
Maladroit, chacun de nos pieds
Suit, pas à pas, l'appel altier
Des ailes de l'intelligence !
Et quand nous avons confessé
Notre péché toujours le même,
Nous entendons, toujours le même,
Reconnaissance et soupir,
L'aveu vers le Dieu de bonté
Qui l'a fait pour ne point mourir
De l'Ange participé.

Melodiously intertwined,
The lovely choirs of Angels run.
Oh, revelation of the Friend!
Of our brother, Heaven-assigned
To guide us if our spirit sways
And set us, when his task is done,
Among the princely ranks inclined
No more to live in married ways.
The Father opens arms to none
Who is not as a little one.

When the sun arises,
The works of earth commence.
The field invites, man acts.
On furrows he devises
The sun must still dispense
What warmth the seed exacts
Ere harvest be immense.
So, once the foot contacts
The path the mind surprises,
Where arduous thought attracts,
It follows the surmises
Of winged intelligence!
And when our tongue retracts
Our guilt, in penitence,
A grateful sigh apprises
Of God's beneficence
Our soul that so refracts
Unto His Providence
The love our Angel prizes.

C'est pourquoi que nul ne méprise
A cause qu'il ne la voit pas
Cette main que Dieu a commise
Pour tenir la nôtre ici-bas.
Nulle route n'est si raide
Qu'un Ange ne nous précède.
Près de l'infirme et du vieux
Se tient quelqu'un qui voit Dieu.
Malheur à qui le scandalise !
L'innocent ne pardonne pas.
Le Cœur obscur ne déçoit pas
L'œil limpide qui le garde
Du virginal compagnon
Et rien ne fait attention,
Comme un enfant qui regarde !

Quand entre la mort et la vie
Dans l'agonie graduelle
L'âme frémissante étudie
L'amer commencement du Ciel,
Ah ! puissions-nous, comme Tobie,
Au jour de son pèlerinage,
Quand il allait, modeste et sage,
Vers la fille de Raguël,
Voir un instant qui sourit
Fièrement et nous appelle,
Parmi les ombres épaissies
De notre Mésopotamie,
Compatissante et fidèle,
La face de Raphaël !

Then let no one have contemned—
If just because he cannot know!—
This hand that God has made extend
To hold our own hand here below.
No path we march on is too steep
But that an Angel van may keep.
Beside the sick, the old, may go
A spirit whom God calls His friend.
Woe to the bold who him offend!
The innocent to forgive are slow.
No heart there beats that is too deep
But that the virgin eye may send
Its glance to pools that stagnant grow:
None with such rapt attention glow
As little children who attend!

When, as life bids death farewell,
Within its mortal agony
The shuddering spirit studies well
Heaven's bitter opening mystery,
Would we could glimpse—Tobias did
When journeying as he was bid
To Raguel's daughter, distant, hid—
The buoyant smile that lifts the spell
Of shadows that in valleys dwell,
Assures us of the sympathy
Upon the face of Raphael!

COMMÉMORATION DES FIDÈLES TRÉPASSÉS

Commémoration du jour de la première pénitence où Dieu se
    repentit de son ouvrage,
A cause de l'homme à peine commençant qui fornique et pros-
    titue son image,
La semence de toutes les espèces est conservée dans l'Arche
    qui flotte à l'abri du naufrage
        Sur les eaux qui recouvrent la terre.

Premier Novembre, commémoration du déluge dans l'obscurité
    et le brouillard qu'on peut couper comme du pain !
Mais à l'église le matin, fête double-majeure en or et en latin
    et Anniversaire de Tous-les-Saints,
De tous les Saints sans qu'il en manque un seul dont le Ciel
    pour s'allumer a attendu que le nôtre fût éteint
        Dans l'inimaginable Mystère !

Au chœur, recension de tous les Saints jusqu'au dernier avant
    Midi, et le soir
Intronisation de la mort à tous les murs, exhaussement du pli
    funèbre dans le noir !
Entrée avec nous de tous les morts, la cloche sonne dans la
    pluie ! dont nous gardons ou non la mémoire,
        Commencement de la nuit.

COMMEMORATION OF THE FAITHFUL DEPARTED

Commemoration of the day of the very first repentance, when
    God repented of the world He made
Because of man just issued through the prime creative sentence,
    in whom His face so soon with filth is sprayed.
The seeds of all the species within the Ark are pent. Ensuing
    rains upon their boat have weighed
      And waters have excluded all the earth.

First of November, commemoration of the Flood in the dark-
    ness and the mist as thick as paints!
In church today the feast a double-major stood, a golden, Latin
    feast of All the Saints!
Of *all* saints, barring no one, luminous with good, whose pas-
    sage home from temporal constraints
      Was waited for in Heaven like a birth!

In the choir, enumeration of all Saints by noon. At eve,
Death's royal exaltation amid walls of black to grieve.
Among our congregation souls we cannot quite perceive . . .
      Beginning of the night.

Commémoration de tous les morts, commencement de Tous-
les-Fidèles-Trépassés,
La lampe qu'on allume avec un frisson, glas des cloches dans
la pluie glacée, pleur,
Gêne, poids du péché mortel sur le cœur, et peur du Jugement dernier,
    Anticipation de l'agonie !

Je lis l'Office des Morts dans la nuit, et bientôt je serai mort
aussi, et déjà le monde extérieur a disparu.
Un brouillard aussi obscur, aussi cru que l'eau de mer, en-
sevelit le port et les rues.
Il n'y a plus que moi de vivant dans la lampe, et sous moi
serrées les eaux de ces grandes multitudes inentendues [1]
    A qui je lis le *Miserere* !

Je suis vivant, et l'onde et le remuement sous moi de ces
grandes multitudes pitoyables !
Je lis le *Miserere* à la mer sans bordure qui gît entre le ciel
et le diable,
Je lis et j'entends respirer, tout près dans l'éternité, sous moi
battre la mer coupable,
    Le peuple qui ne peut plus mériter.

Incapable de mériter et livré sans aucune défense à la Grâce !
L'âme sans habit et sans corps, exhibée à Dieu face à face,
La mer toute nue qui bout et qui frit dans la vision et la
glace
    D'un soleil de froid et de nuit !

---

[1] Aquæ quas vidisti populi sunt et gentes et linguæ. *Apoc.* XVII, 16.

Commemoration of the dead, darkling gleam of All Souls'
  Day,
Lamp luminous with dread, knells that force through hail their
  way,
Mortal sin on heart of lead, fears of all the Judge may say—
    Agony forthright!

The Office of the Dead I am reading in the gloom, and soon I
  shall be dead. Even now, the world is blank:
A mist impenetrable and bleak as salty spume has swept the
  port, the streets, within its flank.
No living thing but I partakes the lamp's brief room. Beneath
  me, in the waves wherein they sank,
    Souls hear my *Miserere*.

I live—and beneath me the flow and the ebb of this pitiful
  multitude!
Miserere I read for this sea below, fixed 'twixt Heaven and
  turpitude!
I read; in eternity's vibrancy know their breathing of gratitude . . .
    Their own debt they cannot vary.

Not able to merit, delivered completely defenceless to grace!
Bodiless, naked, they quivered when summoned before God's
  face;
The sea, unprotected, shivered and boiled in ethereal space
    Before a dark sun that was cold!

Dieu vérifié dans le soleil dur, le même qui sert à l'Enfer !

Mais la purgation est plus complète que le supplice, plus intime, plus aiguë et plus foncière.

C'est autre chose à supporter que Dieu tout pur ! et la préparation à Lui-même est plus sévère

Qu'il n'en faut pour choir en un puits.

La lampe est basse et la nuit est comme un carré de drap noir par derrière,

Non point la nuit qui est l'ombre du jour, mais le néant de toute lumière,

Et je suis comme un prisonnier dont le tour est venu et qui sur le papier judiciare suit d'avance pas à pas

Sa sentence et son itinéraire.

L'instant de la rupture effroyable et l'arrivée où les autres sont déjà !

La clémence qui a cessé et le Juge qui est là !

Et j'espère fermement que l'Enfer n'est pas pour moi, ni l'astre invisible d'en bas :

Cependant c'est possible.

Que l'Enfer pour le temps éternel soit possible et c'est assez !

Et je lis amèrement l'Office et l'essor coup sur coup de ses grandes ailes désespérées,

Le psaume à longs cris vers par vers et l'obsécration entrecoupée

Par les neuf Lectures terribles !

Car nous sommes peu de chose, ô mon Dieu, et nous savons bien que Vous êtes le plus fort,

Vous nous interrogez, et quand on veut s'expliquer, c'est tout de même nous qui avons tort,

God verified in a harsh sun, the same that shines upon hell!
A cleansing more full than the torment begun, more intimate,
    searching, as well,
Yet less to endure than God most pure, a preparation for Him
    that would quell
        All perversity, be it most bold!

The lamp is low and the night appears like a square of black
    cloth outdoors.
It is not a night that the day reveres, but a chaos that downward
    pours;
And I am a prisoner, sentenced, who hears meticulously, as it
    bores
        Through his brain, the word of doom!

The moment of frightful breaking—the arrival where others
    have arrived!
The Judge His bench is taking—my soul of all mercy deprived!
Still I hope with a hope unshaking against hell that rebellion
    contrived;
        Yet it *could* be my tomb.

That hell through life everlasting could be my desert is enough!
Bitterly I read the Office, casting its great wings to soar and
    rebuff
Lucifer—psalms that beat vast in execration, grown rough
        In the pause of nine awful Lessons.

For slight things we are, O my God, knowing well that Thou
    art more strong.
Thou questionest us, who have trod beyond all excuse in the
    wrong;

L'argument péniblement que nous avons essayé de mettre ensemble est interrompu par la mort.

Cependant nous avions quelque chose à dire !

« Pourquoi Te dresses-Tu contre moi et penses-Tu que je suis
Ton ennemi ?

Est-ce que Tu trouves digne de Toi de me suivre ainsi pas à
pas et de me regarder ainsi ?

Épiant la chose que je vais faire, faisant attention à ce que j'ai
dit,

Comme si c'était tout pour toujours ?

« Moi que Tu vois fuir comme une ombre et qui jamais ne
demeure dans le même état !

Moi qui vais être détruit dans un moment comme un vêtement qui est mangé par les cancrelats !

Et je dis que je n'ai rien fait contre Toi, puisque l'homme
ne peut pas

Sortir de Ta main qui l'entoure !

« Va, c'est vrai que je suis un homme et je sais bien que Tu
es Dieu !

Et c'est vrai que mes péchés sont grands, je le sais, mais mon
malheur est au-dessus d'eux !

Laisse-moi en repos un moment, éloigne-Toi de moi un peu
Le temps que j'avale ma salive !

« Le Ciel et la Terre passeront, mais la souffrance de l'Innocent est inexpiable.

Entends le cri de Tes petits qu'on tue et le silence de l'enfant
qui n'est pas coupable,

And death interrupts where we plod in explaining we fain would
  prolong—
  Yet our proneness to speech never lessens!

"Why dost Thou rise up against me and think that I am Thy
  foe?
Dost Thou think it worthy of Thee to follow and watch me so,
Spying out what I will do, the words from my lips that flow,
  As if they were all forever?

"I, whom Thou seest to move like a shadow, not twice in the
  same estate!
I, who will be gone in a moment like a cloth that the moths
  await!
I declare I have not sinned against Thee, for man's strength
  cannot abate
  Thy protection in aught whatsoever!

"Ah, well, it is true I am man and I know Thou art God,
  indeed!
It is true that my sins are great, but much worse is my misery's
  need.
Leave me in quiet a moment—an instant's respite, I plead—
  My saliva I needs must swallow!

"Heaven and earth will pass, but the grief of the guiltless
  remains.
Hear the cry of Thy little ones murdered and the terrible
  silence that drains

Qui meurt seul dans le désespoir final et dans des ténèbres
ineffables,

En attendant que Ton règne arrive !

« Ça ne fait rien, ô mon Dieu, et je sais bien que ça n'est pas
Votre faute !
C'est nous qui nous sommes fait l'Enfer des Sept Flammes
de Votre Pentecôte !
Je sais que Vous n'y pouvez rien et Votre perte est aussi griève
que la nôtre,

Qui Vous privons de Vos enfants !

« Mais quand Vous auriez tort, je dirais encore que Vous avez
raison, ô mon Père !
Avec l'éternité que Vous administrez, avec la damnation et
l'enfer,
Il est une chose, Dieu suprême, une que Vous ne pouvez pas
faire,

C'est d'empêcher que je Vous aime !

« Et quand Vous me damneriez, je dirais encore que c'est
Vous qui êtes le meilleur.
Il y a une chose que Vous ne pouvez pas empêcher, c'est que
Vous soyez, Seigneur !
Et quand Vous me damneriez, je sais que Vous êtes mon
Créateur !

Vous êtes mon Père tout de même ! »

La lampe file et tremble, et je suis seul, et ma lampe est bientôt éteinte.
J'entends, détaché de tout, un seul coup dans le néant qui tinte,
l'heure,

From the heart of those falsely accused who die in despair's
    wild pains,
       Since Thy kingdom seems late to follow!

"I know, my God, I know well it is not Thou Who set the cost!
It is we who shaped us a hell from seven flames of Thy Pente-
    cost!
I know Thou canst not prevent it and hast lost as much as we
    lost
       Who have stolen from Thee Thy children!

"But even if Thou wert wrong, I would say Thou wert right, O
    my Father!
Though Thou rulest eternity, condemnation, hell, I would rather
Be subject to Thee, O Almighty, Whose power can go no farther:
       Thou canst not prevent that I love Thee!

"Even if Thou shouldst condemn me, still would I name Thee
    the best!
One thing Thou canst not prevent, Lord, is the fact that Thou
    dost exist!
Even if Thou shouldst condemn me, I have lived at Thy creative
    behest—
       And Thou art my Father above me!"

The flame flares and flickers. I am alone and my light is extinct.
I hear, remote from all, in the chaos one stroke of the clock,
    distinct.

Mais par delà la profondeur et le temps, par delà les ténèbres
et la crainte,
    Je sais que mon Rédempteur vit !

Je crois que mon Rédempteur vit et que je le verrai à mon
dernier jour !
Tu tendras la main droite à Ton œuvre et je Te tendrai la
mienne à mon tour.
Et je T'affronterai qui me regardes, avec cette espèce d'amour
    Propre à l'Homme que Tu fis !

J'écoute et j'entends tout-à-coup une sirène, puis trois ensemble, puis toutes, et tousser les rauques remorqueurs dans le
brouillard.
Du fond de l'espace sans nom et de tous les horizons du Pur-
gatoire,
C'est la mer comme au temps de Noé barre à barre qui monte,
l'ébranlement là-bas et la tribulation dans le noir
    Des Eaux dont il n'est mémoire ou nombre !

Commémoration de la Mort qui est au-dessus de tous les
horizons !
Commémoration de la mer qui est haute et qui, dans le recoin
du havre le plus profond,
Cogne et vient avertir que le premier bateau est parti et que
ce n'est déjà plus le second
    Qui tousse et qui signale dans le brouillard !

Beyond the deeps, beyond time, past the shadows with horror
  linked,
    I know my Redeemer lives!

I know my Redeemer lives! I shall see Him at my last day!
Thou wilt stretch Thy right hand to Thy creature and mine in
  Thy palm I shall lay.
I shall stand before Thy face as Thou lookest in loving way
    On my soul that Thy bounty gives.

I listen. I hear on a sudden one siren—then three—then a host,
  and hoarse tugboats cough in the mist.
From the bounds of nameless space and horizons where Purgatory hissed,
It is the sea, as in Noah's time welling up from the seething
  abyss
    Of the Waters no barriers clog!

Commemoration of Death that has climbed above every hill!
Commemoration of the sea in the harbor, that slides where there
  is a channel to fill,
Raps and cries out that the first ship is gone—nor is it the
  second that still
    Coughs and screams in the fog!

SAINT FRANÇOIS-XAVIER

A Francis Jammes pour sa fête.

Après Alexandre le Grand et ce Bacchus dont parle la poésie,
Voici François, le troisième, qui se met en route vers l'Asie,
Sans phalange et sans éléphants, sans armes et sans armées,
Et non plus roi dans le grand bond des chiens de guerre, et
    radieux, et couronné,
Le plus haut parmi la haute paille de fer et le raisin d'Europe
    entre les doigts,
Mais tout seul, et petit, et noir, et sale, et tenant fort la
    Croix !
Il s'est fait un grand silence sur la mer et le bateau vogue vers
    Satan.
Déjà de ce seuil maudit il sort un souffle étouffant.
Voici l'Enfer de toutes parts et ses peuples qui marchent sans
    bruit,
Le Paradis de désespoir qui sent bon, et qui hurle et qui tape
    dans la nuit !
D'un côté l'Inde, et le Japon là-bas, et la Chine, et les grandes
    Iles putrides,
L'Inde tendue vers en bas, fumante de bûchers et de pyramides,
Dans le cri des animaux fossoyeurs et l'odeur de vache et de
    viande humaine,
(Noire damnée dans ton bourreau convulsive fondue d'une
    soudure obscène,

SAINT FRANCIS XAVIER

To Francis Jammes, for his feast-day

After Alexander the Great and that Bacchus of whom poesy
    tells,
Francis is the third to set forth on his journey toward the Asian
    spells.
Missing phalanx and elephants, unprovided of armies or of
    arms,
Not a radiant, crownèd king with his war-hounds hot upon
    alarms,
Not stalking in a hayfield of steel, his fingers pressed on Europe's
    grape,
But alone and small and black and soiled, with the Cross gripped
    tight beyond escape.
There is made a breathing silence on the sea and the ship sails
    straight upon the devil.
Even now from that accursed threshold emerge the stenches of
    evil.
Here is hell on all sides and its peoples who move with an
    absence of noise,
The sweet-smelling Eden of despair, filled at night with the
    calling of decoys!
Here India and yonder Japan, China and the monstrous rotten
    Isles,
India stretched toward the abyss among its pyramids and funeral
    piles,
Amid the cries of animals of prey and the smell of cows and
    human meat.
(Dark woman in your awful death dissolved by a solder obscene
    in the heat,

O secret de la torture et profondeur du blasphème !)
D'un côté les millions de l'Asie, l'hoirie du Prince de ce
    Monde,
(Et le trois fois infâme Bouddha tout blanc sous la terre al-
    longé comme un Ver immonde !)
D'un côté l'Asie jusqu'au ciel et profonde jusqu'à l'Enfer !
(Il vient un souffle, il passe une risée sur la mer) —
De l'autre ce bateau sur la mer un point noir ! et sur le pont
Sans une pensée pour le port, sans un regard pour l'horizon,
Un prêtre en gros bas troués à genoux devant le mât,
Lisant l'Office du jour et la lettre de Loyola.

Maintenant depuis Goa jusqu'à la Chine et depuis l'Éthiopie
    jusqu'au Japon,
Il a ouvert la tranchée partout et tracé la circonvallation.
Le diable n'est pas si large que Dieu, l'Enfer n'est pas si vaste
    que l'Amour,
Et Jéricho après tout n'est pas si grande que l'on n'en fasse
    le tour.
Il a reconnu tous les postes et levé l'enseigne obsidionale ;
Son corps pour l'éternité insulte à la porte principale.
Il barre toutes les issues, il presse à toutes les entrées de
    Sodome ;
L'immense Asie tout entière est cernée par ce petit homme.
Plus pénétrant que la trompette et plus supérieur que le
    tonnerre,
Il a cité la foule enfermée et proclamé la lumière.
Voici la mort de la mort et l'arme au cœur de la Géhenne,
La morsure au cœur de l'inerte Enfer pour qu'il crève et pour-
    risse sur lui-même !
François, capitaine de Dieu, a fini ses caravanes ;
Il n'a plus de souliers à ses pieds et sa chair est plus usée que
    sa soutane.

O secret of torture unimagined and blasphemy's fiendish feat!)
On one side the millions of Asia, inheritance of the Prince of
   this world—
(And the triply infamous Buddha stretched out like a white
   worm uncurled!)
On one side Asia, high as heaven and deep as the flooring of
   hell!
(A zephyr moves and the sea is rippled by a swell.)
On the other side, upon the ocean, a tiny ship, and on its
   bridge,
Taking no thought for the port nor the sparkling horizon's
   ridge,
A priest whose tattered garments would never suggest him
   audacious,
Reading the Office of the day and the letter from Ignatius.

Now from Goa to China, from Ethiopia to Japan,
He has dug on all sides his trench and finished his siege's plan.
The devil is smaller than God and hell less vast than Love,
And Jericho after all not too great for the circling move.
He has reconnoitered the field, his banner of siege unfurled:
For eternity his body at the enemy's gate is hurled!
He barricades all the portals, he hammers at Sodom's bars;
The whole expanse of Asia this one man's onslaught jars!
More piercing than shrill of the trumpet, more lofty than thun-
   der's rolls,
He has summoned the prisoned millions and called down light on
   their souls.
This is the death of Death and the sword at Gehenna's heart,
Teeth sunk in the heart of Hell, putrefied, till it burst apart!
Francis, captain of God, has ended his caravan.
His feet are unshod and his flesh is more worn than his old
   soutane.

Il a fait ce qu'on lui avait dit de faire, non point tout, mais
  ce qu'il a pu :
Qu'on le couche sur la terre, car il n'en peut plus.
Et c'est vrai que c'est la Chine qui est là, et c'est vrai qu'il
  n'est pas dedans :
Mais puisqu'il ne peut pas y entrer, il meurt devant.
Il s'étend, pose à côté de lui son bréviaire,
Dit : Jésus ! pardonne à ses ennemis, fait sa prière,
Et tranquille comme un soldat, les pieds joints et le corps
  droit,
Ferme austèrement les yeux et se couvre du signe de la Croix.

He has done what they told him to do—not all, but what he
   was able:
Now let him lie on the earth, for his legs are no longer stable.
It is true that is China beyond; it is true he is not inside;
But since he cannot enter, let him stay at its door till he has
   died.
He stretches at length and beside him his breviary lays,
Says, "Jesus!", pardons his foes and thoughtfully prays;
Then, tranquil as any soldier, feet joined and body now dross,
Austerely closes his eyes with a covering Sign of the Cross.

SAINT NICOLAS

Voici l'hiver tout-à-fait et Saint Nicolas qui marche entre les
   sapins
Avec ses deux sacs sur son âne pleins de joujoux pour les
   petits Lorrains.
C'est fini de cet automne pourri. Voici la neige pour de bon.
C'est fini de l'automne et de l'été et de toutes les saisons.
(O tout cela qui n'était pas fini, et ce noir chemin macéré,
   hier, encore,
Sous le bouleau déguenillé dans la brume et le grand chêne
   qui sent fort !)
Tout est blanc. Tout est la même chose. Tout est immaculé.
La terre du ciel a reçu sa robe superimposée.
Tout est annulé, mal et bien, tout est neuf et recommence de
   nouveau.
L'absence de tout est en bas et les ténèbres sont en haut.
Mais dans un monde blanc il n'y a que les Anges pour être à
   l'aise.
Il n'y a pas un homme vivant dans tout le diocèse,
Il n'y a pas une âme éveillée, pas un petit garçon qui respire,
A l'heure où tu viens vers lui dans la nuit, puissant Évêque de
   Myre !

SAINT NICHOLAS

Now it is winter indeed and Saint Nicholas tramps among the
   pines
With two full sacks on his donkey stuffed with toys for the
   children's designs.
Autumn has fallen to dust. The snow has come for good.
Yes, we surely have finished with autumn and with summer and
   the seasons as they stood.
(Oh, all that we have not finished and the tortuous black road
   of yesterday
Which wound beneath the tattered birch and the oak that scented
   mists of grey!)
All is white, all identical. Everything is free of stain.
The earth is fair in heaven's robe that over its rags has lain.
Bad and good both are annulled, everything is new and starts
   afresh.
The absence of being lies below and overhead the shadows'
   mesh.
But in a world of white only Angels can thoroughly be at their
   ease.
There is not a man alive in all of the diocese,
There is not a soul awake, not a single youthful admirer,
At the hour when you come in the night, O powerful Bishop
   of Myra!

O pontife ganté dans la nuit ! Espérance des petits garçons
Qui sont tellement braves depuis hier et qui savent depuis
deux jours leurs leçons,
Saint Nicolas à qui Dieu d'un seul pas a donné le pouvoir de
tout changer,
Et qui sais faire d'un seul coup de ce monde mal arrangé,
Avec force étoiles naïves et pompons et pendeloques roses et
bleues,
Un étrange paradis faux et une grande salle de jeux,
Laisse-nous les yeux fermés trois fois de suite taper au milieu
de ta baraque,
Apporteur des choses futures qui tiens toute la Création dans
un sac !
Que d'autres prennent les soldats et les chemins de fer et les
poupées !
Pour moi, donnez-moi seulement cette seule boîte bien fer-
mée :
Il suffit que j'y fasse un trou et j'y vois des choses vivantes et
toutes petites :
Le Déluge, le Veau d'or et la punition des Israélites,
Tout un monde intérieur avec un soleil qui marche tout seul,
Une scène où deux hommes se battent à cause d'une femme
en deuil,
Et jusqu'au fond de cette maison future qui est la mienne,
pleine de lumières et de meubles et de petits enfants :
Je regarde par la cheminée d'avance tout ce qui se passe par
dedans.

O gauntleted Pontiff in the night! Expectation of the children
    at play,
Who have studied their lessons so hard, who have been so good
    . . . since yesterday!
Saint Nicholas, to whom at one stroke God gave the power to
    change
By a single moment's work, this world so vexingly strange,
With a pother of twinkling stars and pendants of rose and of
    blue,
Into a gay paradise and a vast hall of pleasures, too,
Let us with eyes tight-closed tap three times running on your
    pack,
O Carrier of future things who cram all creation in your sack!
Other people may have the soldiers and the dolls and the rail-
    road trains!
As for me, give me just this box, tight-shut, at the bottom of
    what remains!
I have only to make a hole to see in it small living sights:
The Deluge; the Golden Calf; the punishment of the Israelites;
A whole interior world with a sun that goes all alone;
A scene where two men are dueling while a widow is making
    moan;
To the bottom of the house that will be mine, with its lights and
    the children and my wife:
I gaze in advance through the chimney on all of its intimate
    life!

CHANT DE MARCHE DE NOËL

Allons, il est l'heure de partir, y sommes-nous tous, les enfants ?

Avez-vous bien tout ce qu'il faut, car il fait choc ! dehors, les galoches et les manteaux, les voiles, les cache-nez et les gants ?

Alors soufflez la lampe et venez, car moi, je marche par devant.

J'ai fait le chemin, c'est moi qui vous conduirai, qu'aucun autre ne fasse l'important.

On a éteint, voici notre petit groupe tout noir à la clartè du feu qui meurt,

Ceux qui me sont unis par le sang, ceux-là qui me sont unis par le cœur,

Et le vieux avec sa vieille, les servantes et les jeunes gens, et la mère avec ses enfants,

Et le juste qui a porté le poids du jour avec l'ouvrier de l'onzième heure.

Il fait trop sombre pour se compter, on dirait que nous sommes plus nombreux que tout à l'heure.

S'il y a des morts qui se soient joints à nous, soyez les bienvenus, chers parents !

N'ayez pas peur de nous, nous nous sommes tous confessés ce soir, prenez place entre les innocents.

Tous à l'exception de ceux-ci qui croient et qui doutent encore à moitié,

MARCHING SONG FOR CHRISTMAS

Come, it is time to go. Children, are all of us here?
Are you sure you have all that you need—it is sharp outdoors!
   —galoshes and cloaks and veils, mufflers and gloves?
Then blow out the lamp and come, for I shall walk in front.
'Tis I who have made path, and I who shall take the lead. Let
   none other push himself forward!
The light is out; by the gleam of the dying fire our little group
   is dark,
These who are knit to me by blood, those who are knit by the
   heart—
The patriarch with his wife, the servants and the young, the
   mother with her children,
And the just who has borne the weight of the day with the laborer
   of the eleventh hour.
It is too dark to count, but I should say we are more than we
   were just now—
If the souls of the dead have joined us, why, welcome to you,
   old friends!
Be not afraid of us, we have all confessed tonight—take place
   among innocent men!—
All, with the exception of those who believe and still doubt by
   halves,

Et qui, s'étonnant un peu, cependant m'accompagnent par amitié.

Qui, prenant mon grand bâton, passe devant comme un ménétrier,

Chantant notre chant de marche de Noël à plein gosier va-comme-je-te-pousse,

Un seul vers si je n'en trouve qu'un dans mon sac, et d'autres qui viennent tous ensemble par secousse.

Quand il n'y a pas de rime, il faut, ma foi, s'en passer.

Si mon vers ne va pas tout droit, ce n'est pas qu'il y manque des pieds,

Précédant de peu ma pensée, comme l'aveugle qui tâte avec son bâton.

Mais le chemin aussi n'est pas commode, cette neige n'est pas du coton.

Allons tout de même en avant, de par Dieu ! à cœur joyeux tout est bon.

Si ma chanson ne vous va pas, je la chanterai cependant tout du long.

Le quadruple *Alleluia* avec neume, et non pas croac ! et *Requiem !*

Car c'est la grand'nuit que par toutes les routes les chrétiens sont en marche vers Bethléem,

Et nous, combien que peu nombreux nous faisons notre peloton.

La porte pas plus tôt ouverte, voici tout le ciel qui nous saute aux yeux !

Un million d'étoiles piquantes avec la Voie Lactée au milieu.

Ministre de la solennité, le ciel énarre la science aux cieux.

Le firmament dans son immense ornement raconte la gloire de Dieu.

Un seul éclair ! c'est toute l'armée des cieux qui dégaîne, rangée sur nous avec ses capitaines, spécialement cinq ou six,

Who, marveling at themselves, yet join us for old times' sake.
Grasping my sturdy staff, I walk in front like a fiddler,
Singing with all my strength our marching song for Christmas,
A single verse if I find but one in my sack, and more as they
  come.
When there is no rhyme, my faith! needs must we do without.
If my verse goes not quite straight, it is not for the lack of
  feet,
For they trudge ahead of my thought, as a blind man quests
  with his stick.
The road, besides, is not easy—for this is no cotton snow.
Let us go on just the same, by Heaven! To a joyous heart all is
  good.
If you do not like my song, I shall keep on singing at length—
The *Alleluia* fourfold in chant, and no croaking *Requiem!*
For this is the glorious night when on all roads Christians are
  on the march to Bethlehem;
And we, too, even though few, we will make our squadron.

As soon as we open the door, all Heaven leaps to our eyes!
A million twinkling stars with the Milky Way in their midst!
Priest of this solemn feast, the sky tells its knowledge to the
  heavens,
The firmament in its measureless beauty shows forth the glory
  of God!
One flash! The whole army of the skies draws sword, ranged
  above us with its captains—notably five or six,

L'immense peuple entremêlé d'une seule voix chantant *Gloria in excelsis !*

Spécialement cinq ou six étoiles, et voyez celle-ci la plus belle !

O Globe spirituel suspendu sur la sainte Étable !

Vase de la lumière consacrée que nous apporte un ange indubitable.

Pour toi, ville de David et de Booz, ô Bethléem Ephrata,

Certes tu n'es pas la plus mince entre toutes les cités de Juda,

Puisqu'à ton flanc cette nuit doit naître le Sauveur des hommes !

Chacun est venu du plus loin t'apporter ce nom dont il se nomme.

Que de lumières dans tes rues ! que de tapage et que d'affaires !

César Auguste aujourd'hui recense toute la terre.

L'Enfant Prodigue, qui traite le Mauvais Larron et les employés du Comput,

Se divertit chez le rôtisseur avec les joueuses de flûte.

Il y a un feu pour chacun, excepté pour le Roi du Ciel.

Pauvre Jésus, quand tu te présentes, il n'y a jamais de place à l'hôtel !

Joseph, avec l'humble Marie sur le petit âne, s'en va de porte en porte.

L'aubergiste, quand il voit cette femme enceinte, appelle au secours et main-forte !

Et refoule avec sa serviette sur le perron et sous la branche de sapin

Saint Joseph qui n'a point son auréole sur la tête, mais une vieille casquette en peau de lapin.

Numberless hosts intermingled, chanting with one sole voice,
   "Gloria in excelsis!"
Notably five or six stars and that one, see!—the most fair.
O heavenly Lamp hung over the holy Stable!
Vase of blessed light that surely an angel brings us!

As for thee, City of David and Booz, O Bethlehem Ephrata,
Verily thou art not least among all the cities of Juda,
Since within thee this night is born the Saviour of men!
Each of us comes from afar to bring thee the name that he bears.
How many lights in thy streets! How much bustle and business!
Caesar Augustus today takes census of all of the earth.
The Prodigal Son, who is treating the Thief and the men of the
   census,
Enjoys himself at the inn with the girls who play on the flute.
Everyone has his hearth, except the King of Heaven.
Poor Jesus, when Thou dost appear there is never room in the
   inn!
Joseph, with humble Mary set on the little ass, travels from
   door to door.
The innkeeper calls for help when he sees this woman with
   child
And chases away from his door, with towel and branch of
   pine,
Saint Joseph, whose head bears no halo but simply a rabbit-
   fur cap.

C'est pourquoi, nous, n'ayant point de l'argent pour faire ici
la débauche,
Nous laisserons la ville à droite et prendrons ce chemin sur la
gauche,
Qui conduit vers le désert et les communaux comme l'indique
Le pas fréquent de ces animaux agréés par le Lévitique.
Tournons à ce coin maintenant et là-bas où sont la herse et
l'araire,
Sous le grand chêne d'Abraham, voyez-vous ce trou dans la
terre ?
C'est là.

Restons tous en repos un moment attendant que minuit sonne.

Quelques minutes encore et notre longue attente est finie !
Les semaines de Daniel ont terme, Noël commence aujour-
d'hui.
Hodie lux illuxit nobis, cœli facti sunt melliflui.
En ce point même l'éternité prend sa source, aujourd'hui
Le Verbe commence en nous comme il a commencé avec Dieu
dans le Principe !
Acte de la pure origine à qui notre nature participe !
O grâce qui passe la faute ! effet qui transfigure la promesse !
Mystère d'une triple naissance honoré d'une triple messe !
Voici que nos yeux les premiers vont contempler le Verbe
véridique,
Déposé sur le corporal selon l'indication de la rubrique.

Minuit sonne. Poursuivez votre chemin et entrez.
Quel cœur si dur qui ne se fonde au spectacle qui nous est
présenté !
Lui qui nous aime tant, qui ne l'aimerait de son côté,

Wherefore, having no jot of silver to pleasure ourselves in the
    town,
We shall leave its streets on the right and take this path to the
    left
That leads us on to the desert and the pastures, as you may see
By the palimpsest of prints that the Levites' donkeys have
    made.
Let us turn this corner now—and yonder by harrow and flail,
Under Abraham's oak, do you see that hole in the ground?
It is there.

Let us all rest awhile till chimes of the midnight sound.

Only a few minutes more, and our long expectation is ended!
The weeks of Daniel are told, Christmas begins today!
Hodie lux illuxit nobis, coeli facti sunt melliflui!
Just at this point of time eternity takes its rise: today
The Word begins in us as He began with God in the beginning!
Action of pure generation in which our nature shares!
O grace surpassing the sin! Effect that transfigures the promise!
Mystery of threefold birth honored in Mass threefold!
Here shall our eyes first of all contemplate the Word in truth,
Placed, as the rubrics dictate, on snowy-white corporal.

Midnight. Pursue your way and enter.
What heart so hard not to melt at the sight presented before us!
Him Who loves us so much, who would not love in return,

Et n'aurait les larmes aux yeux, prenant entre ses bras, ce petit pauvre ?

Et si quelqu'un de vous doute encore, qu'il se range à l'écart et vérifie

Ce papier où pour lui depuis Moïse j'ai recensé les prophéties.

Car aujourd'hui un enfant nous est né, un tout petit nous a été donné,

Une tige est sortie de David, une fleur de la racine de Jessé,

La personne de David est issue du sein de la Vierge sans péché !

Voici la chair de notre chair, voici l'Enfant-avec-Dieu que nous avons fait,

Restituant le plein héritage que Satan nous dérobait,

Et son nom est appelé Admirable, Conseiller, Dieu-fort, Père-du-Siècle-futur, Prince-de-la-Paix !

Poursuivez, je vous le dis, et entrez, car pour moi je reste où je suis.

Mais que chacun d'abord pour Jésus prépare ce présent qu'il a pris.

(Qui est fort bien né, comme l'atteste une étoile de cuivre, en ce lieu précis

Que garde de nos jours un soldat turc, la baïonnette au fusil.)

Puis frappez, et qu'à la Mère tout d'abord cette mère soit amenée,

Qui, tout le lait de la femme en fleur à ses yeux, apporte son fils premier-né ;

L'ignorant qui apporte son ignorance, le pécheur qui apporte son péché,

Le commis sans avenir, l'écrivain qui comprend qu'il n'a point de talent,

And would not have tears in his eyes, straining this poor Babe
    to his heart?
If one of you still is in doubt, let him walk apart and peruse
This paper where I have set down all the prophecies since
    Moses.
For today a Child is born to us, a Little One has been given
    to us,
A Branch has arisen from David, a Flower from the root of
    Jesse,
The Scion of David has come from the womb of the sinless
    Virgin!
Here is the flesh of our flesh, here is the Child-God that we have
    made,
Restoring the full inheritance that Satan stole from us,
And His Name is called Admirable, Counselor, strong God,
    Father of the world to come, Prince of Peace!

Go forward, I tell you, and enter! As for me, I stay where I am.
But let each of you, first of all, prepare the present he brought
    for Jesus.
(Who actually is born—as certifies a star of copper, set in the
    very spot
That a Turkish soldier now is guarding with fixed bayonet.)
Then knock—and immediately conduct to the Mother this mother
With eyes that are filled with the charm of her prime, holding
    her first-born son;
The dullard bringing his dullness; the sinner carrying his sin;
The futureless clerk; the writer who claims not a whit of talent;
The roisterer who on a sudden recovers an innocent heart;

Le débauché à qui tout d'un coup se remet un cœur innocent,

L'officier qui apporte sa croix d'honneur, la veuve son anneau
de mariage,

Et le vieillard le registre de sa vie avec le buvard à la dernière page.

Pour moi qui n'ai rien que l'on ne m'ait donné, content de vous
avoir menés jusqu'ici,

Ainsi qu'un bon domestique je reste dehors dans la nuit,

Comme Moïse devant le Buisson ardent pendant que le Seigneur lui parlait,

Considérant, d'un cœur fervent et profondément satisfait,

Cette porte fermée que cependant traverse la splendeur du
lait !

Salut, femme à genoux dans la splendeur, première-née entre
toutes les créatures !

Les abîmes n'étaient pas encore et déjà vous étiez conçue.

C'est vous qui avez fait que dans les cieux la lumière indé-
ficiente est issue !

Quand il faisait une croix sur l'abîme, le Tout-Puissant avait
placé devant lui votre figure,

Comme je l'ai devant moi dans mon cœur, ô grande fleur-de-lys,
Vierge pure !

Vous avez porté votre créateur, vous l'avez engendré sous votre
ceinture,

Marie, notre sœur, a cru, la femme a entouré l'homme, de
toutes parts,

Un petit être nu est blotti sur le sein de la Déipare !

Comme le Fils sur le cœur de l'Ancien-des-Jours à qui est
l'Amen et le Royaume !

The man with the Croix d'honneur; the widow with wedding
  ring;
And the patriarch with the book of his life—the blotter against
  the last page.
As for me, who have naught that I have not received, content
  to have led you thus far,
Like a good servant I stay outside the door in the night
As Moses before the burning Bush while the Lord spoke to his
  soul,
Gazing with eager heart and measureless satisfaction,
Intent on that fast-closed door whence issues a milk-white
  splendor!

Hail, woman who kneels in the splendor, first-born of every
  creature!
Abysses were not as yet and thou wert already conceived!
It is thou who hast made a light unfailing to rise in Heaven!
When He made a cross over chaos, the Omnipotent had thy face
  before Him,
As I have it now in my heart, O great Lily-flower, pure Virgin!
Thou hast borne thy Creator, conceived Him beneath Thy girdle;
Our sister, Mary, hath believed, the woman hath encompassed
  the man-child,
A tiny young Being is hid beneath the breast of the Mother of
  God,
Like the Son in the heart of the Ancient of Days, to Whom is
  the power and the kingdom!

Paradis raisonnable de Dieu, traîne-nous à l'odeur de tes
baumes !
Comme Lui-même à qui dans son éternité manquait la douceur
de votre lait.
« Ouvrez-moi, ma sœur, ma colombe, mon amie, mon im-
maculée ! »
Livre enfin l'homme à son Dieu, porte royale et descellée !
O cœur des torrents de la nuit en qui d'un ineffable accord,
La couleur d'argent de la colombe se mêle à la pâleur de
l'Or !

Cependant une rumeur confuse emplit la terre et les champs.
Il commence sur la terre un cri, il commence dans le ciel un
chant.
Les pasteurs, crosses en mains sur le troupeau, figure de ceux
de l'Église,
Écoutent la bonne nouvelle qu'un Ange leur évangélise,
Et cette phrase : *Gloire et Paix,* dans le ciel ouvert qui d'un
Ordre à l'autre est répétée,
Gloire dans la hauteur à Dieu et sur la terre Paix aux
hommes de bonne volonté !
Le Prodigue qui parmi les blasphèmes tout-à-coup a le sen-
timent de la musique
Se lève, il veut voir, et de l'ongle gratte la vitre de la maison
publique.
Car déjà les pasteurs se sont mis en marche et toute la terre
s'ébranle derrière eux,
Au pas de ces joueurs de musette, parmi lesquels le plus vieux,
Portant le tambour de la compagnie que des deux mains il
frappe à coups valeureux !

O wondrous Garden of God, draw us to the odor of thine ointments

As thou didst thy Maker Himself, Who in His eternity had desire of thy milk!

"Open to Me, My sister, My dove, My love, Mine immaculate one!"

Deliver the Man to His God, O Gate most royal, at last unsealed!

O Heart of the torrents of night, in whom, with accord inexpressible,

The silvery plume of the dove is mingled in pallor of Gold!

But now a murmurous breathing has filled the land and the fields.

On earth there arises a cry, in heaven commences a hymn.

The shepherds, crooks in their hands over the flock, prefiguring pastors to be,

Listen to all the glad tidings an angel has come to announce,

To the phrase, "Glory and peace," tossed from choir to choir in the opened sky,

"Glory to God in the highest; peace on earth to men of good will!"

The Prodigal Son amid blasphemies hears suddenly tones of the music

And rises in haste to see, with his fingernail scratching the public-house pane.

Already the shepherds have started to walk and all the world follows behind them,

In step with the notes of the fifers—and among them the oldest of all,

Holding the company's drum, which he beats with the strength of both hands.

Peuples ! Iles ! entendez, nations englouties ! ô vous tous à
qui l'on a fait tort !

Le dur Israël est rompu, la flamme de Dieu brille librement
au dehors !

Une lumière est née à ceux qui habitaient la région de l'ombre
de la mort !

« Voici que je briserai sur vous le joug de l'exacteur ainsi
qu'au jour de Madian,

Vous avez été vendus pour rien, dit le Seigneur, et moi je vous
rachèterai sans argent.

Ne crains point, ô ver ! Je ne t'ai point oublié. Est-ce qu'une
mère oublie son enfant ?

Et si elle l'oubliait, et moi je ne t'oublierai pas, dit le Seigneur Dieu Tout-Puissant.

Qu'est cela qui m'est arrivé que mon peuple m'est enlevé
gratis ?

Je n'ajouterai pas davantage que sur ma terre passe l'immonde
et l'incirconcis.

Lève-toi de la poussière, ô captif, et entends mon nom en ce
jour-ci :

Car moi-même qui vous parlais, dit le Seigneur, me voici ! »

Anges de la Perse et des Grecs ! Ange de Rome ! Ange du
Nord et de ceux de la mer !

O pasteurs de peuples aveugles dans la nuit ! veilleurs d'une
veillée amère !

Depuis assez longtemps comme un cri que les soldats répètent
de tour en tour,

D'un bout du monde jusqu'à l'autre vous vous passez la question vers le jour !

Maintenant comme le sous-diacre du diacre, et celui-ci de l'of-
ficiant, lorsqu'il a reçu la paix,

Peoples! Islands! Listen, O nations engulfed! O all of you who were wronged!

Stern Israel is broken, the flame of God gleams brilliantly outside!

A light has arisen for those who sat in darkness and shadow of death!

"Now will I break for you the yoke of the oppressor as once on the day of Madian.

You have been sold for naught," saith the Lord, "and I will redeem you without money.

Fear not, O worm! I have not forgotten you. Can a mother forget her child?

And even if she did forget, yet will I not forget you," saith the Lord God Almighty.

"What is this that hath happened to Me, that My people are taken away from Me gratis?

I will not add that on My land walk the unclean and uncircumcised.

Arise from the dust, O captive, and hear My name on this day:

For I Who was speaking to you," saith the Lord, "even I, am here!"

Angels of Persia and of Greece! Angel of Rome! Angel of the North and of the men of the sea!

O shepherds of peoples blind in the night! Watchers of a bitter watch!

For long enough, like a cry that the sentries repeat in turn,

From one end of the world to the other, you have passed the question before dawn!

Now, as the subdeacon turns from the deacon, and the latter, from the celebrant receiving the kiss of peace,

211

S'en va vers le premier de ses frères ordonnés dans le chœur
et le saluant avec respect,

Lui met les deux mains sur les épaules et la joue contre la
joue :

Ainsi le messager qui va d'un bagne à l'autre, annonçant la
levée de l'écrou.

Et bientôt, au milieu de la fumée et de l'or et du feu, du pontife qui officie à l'autel,

Précédé de l'encensoir et des trompettes, se détache le cor-
tège solennel

Du héraut qui monte à l'ambon, proclamant l'évangile uni-
versel !

« Il est né, le divin Enfant ! » Et vous aussi, quel est ce
chant ! écoutez !

Vous, Anciens, que l'Enfer encore retient dans sa vaste ca-
pacité !

La racine obscurcie à la fleur de sa feuille sent éclore sa béné-
diction.

L'arbre de Vie où naît le fruit éternel tressaille dans ses gé-
nérations :

Voici le mâle admirable qu'une Vierge met dans les bras de
Siméon !

Mères et patriarches, réjouissez-vous, ancêtres de Jésus-Christ !

De l'os qui est issu de vos os sort le Vengeur dont il est écrit.

Et bientôt au travers de tous les morts l'un sur l'autre engendrés
qui le recouvrent,

La terre jusqu'au profond Adam tremble et s'entr'ouvre !

De la gêne et du noir cachot s'élèvent les voix exténuées

Des âmes gémissantes et disantes : O mon fils, tu es arrivé !

Jusqu'à ce que le Vivant lui-même demande passage à ce
seuil de la Mort qu'il n'a point créée,

Turns to the first of his ordained brethren in choir, greeting
    him with respect,
Sets his two hands on his shoulders, his cheek against his cheek:
So goes the messenger from one gaol to another, announcing the
    canceling of the charge;
And soon, from the midst of the smoke and the gold and the
    flame, from the priest who presides at the altar,
Preceded by censer and trumpets, moves the majestic procession
Of the herald who mounts to the pulpit, proclaiming the universal
    gospel!

"Christ, the Saviour, is born!" What chant is this! Oh, listen,
    you, too,
You Ancients, whom hell still holds in its vast maw!
From the flower of its stem the shadowy root feels its bene-
    diction unfold.
The tree of life whence arises the eternal fruit quivers in its
    generations:
Here is the wondrous Son Whom a Virgin lays in Simeon's
    arms!
Mothers and patriarchs, rejoice! Ancestors of Jesus Christ!
Of the bone formed of your bones comes the Avenger of Whom
    it is written;
And soon, under all the deaths self-multiplied with which it is
    covered,
The earth to the depths of Adam trembles and gapes open!
From torment and inky prison arise the fainting voices
Of souls that are groaning, crying, "O my Son, Thou hast
    come!"
Until Life Himself demands entrance at the portal of the
    Death He never created,

Et que précédant l'Ame-Dieu, au Samedi de sa descente,
Un Ange d'un coup formidable heurte aux portes retentis-
    santes !

Mais déjà l'aube blanchit sur le désert, de ce jour qui ne
    finira plus,
Le point de notre premier jour chrétien, l'an Premier de la
    grâce et de notre salut !
Ici-bas et ci-après Dieu est avec nous pour toujours,
Pour tant que nous serons à lui, et pas même ! car le propos
    en nous est court.
Et tout de suite nous allons refaire le mal, mais nous avons
    un recours
A ce cœur dans le tabernacle qui est si faible pour nous et si
    plein d'amour !
C'est vraiment le jour de Noël tout d'or pur qu'aucun mal ne
    corrode.
Demain, puisqu'il le faut, nous servirons le cruel Hérode,
Reprenant l'outil de l'artisan et le siège de l'employé.
Moi, j'habite la joie divine, comme Joseph le charpentier,
Voyant à côté de moi ce petit enfant, qui est Notre-Seigneur,
Et Marie, notre mère, qui ne dit rien, et conserve ces choses
    dans son cœur.

And preceding the Soul of God, that Saturday of His descent,
An angel knocks in thunder on the gates that reverberate!

But already the desert is white with the dawn of this day which
  will end no more,
The dawn of our first Christian day, the first year of our grace
  and salvation!
Here below and from now on God is with us forever,
For as long as we will be His—and not even so! For resolution
  in us is brief
And soon we will sin again, but we have recourse
To that Heart in the tabernacle, so partial to us and so full of
  love!
Truly this is Christmas Day, of pure gold that no taint can
  corrupt.
Tomorrow, since we must, we will serve cruel Herod,
Resuming the artisan's tool and the stool of the clerk.
As for me, I dwell in divine bliss, like Joseph the carpenter,
Seeing beside me this Babe, Who is Christ our Lord
And Mary, our Mother, who says nothing and keeps these things
  in her heart . . .

Psaume d'Asaph, « Parce qu'Éternelle est Sa miséricorde »,
Psaume donné aux enfants de Coré pour la lyre décacorde,

Psaume du roi David quand il se cachait dans la caverne
    d'Adullam,
Psaume à cause de mon fils Absalon quand les eaux ont pé-
    nétré jusqu'à mon âme,

Psaume du roi Salomon quand le Temple fut dédié,
Psaume de Jérémie et d'Ezéchiel pendant les Soixante-dix
    Années,

Cantique de Siméon, cantique de Zacharie,
Élévation de la voix de Très-Sainte Vierge Marie,

Sur l'Empire terrassé Te Deum d'Augustin et d'Ambroise,
Vocifération dans les Conciles du Credo de Saint Athanase,

Séquence de Nottker, prose d'Adam de Saint-Victor,
Introït de la Grand'Messe de Pâques, entonné par le Præ-
    cantor,

Chant perçant de l'orphelin, sanglot dans le cœur du sourd,
Et latin de Paul Claudel aux derniers jours !

Agréez cette voix étrange d'âge en âge et cette courte parole
D'une voix seule qui est au-dessus des autres voix comme le
    chant du rossignol.

MEMENTO FOR SATURDAY NIGHT

"For His mercy is eternal," psalm that Asaph sang of old;
Psalm given to Core's sons for their ten-stringed lyre to hold;

Psalm of David the king in Adullam's cave beneath the knoll,
Because of Absalom, my son, when the waters have come in
    unto my soul;

Psalm of King Solomon that the newly blessed Temple hears;
Jeremiah's, Ezechiel's psalm during the Seventy Years;

Canticle of Simeon; song of Zachary from the sanctuary;
Lifting up of the voice of the Blessed Virgin Mary;

Over the crumbled Empire the Te Deum of Augustine and
    Ambrose;
And Athanasius' Credo re-echoed in the Councils' close;

Sequence of Nottker; prose of Adam of Saint Victor;
Introit of Easter's High Mass, begun by the first intoner;

Piercing song of the orphan; sobs that deaf men raise;
And Latin of Paul Claudel in these last days!

Accept this voice through the ages and this laconic tale
Of one lone voice above the others, like the song of the nightin-
    gale!

Poëme de Paul Claudel qu'il composait en Asie,
Loin de la vue de tous les hommes, au temps de la grande
  Apostasie,

Flûte basse sous le bruit profane insolente comme une trom-
  pette,
Articulation dans le chaos de la phrase forte et nette.

Vers arides et trait ardent de son cœur vers la patrie,
Comme il marchait le long des murs de Cambaluc, écoutant
  le coucou de Tartarie.

Ou sous un saule vermineux, près d'une grande tache de sel,
Sur une terre à moitié détruite, mangée d'eau sale et de ciel.

Ah, que ma langue se dessèche, expire en moi le souffle même,
Si mon âme jamais s'oublie de toi, Jérusalem !

Comme le voyageur sur sa bête qui soupire et regarde l'étoile
  interminable,
C'est ainsi que mon cœur désire vers les sources désirables !

Là c'est le même silence et c'est la même nuit,
Mais le temps est derrière moi et je sais que tout est fini.

Et tout-à-coup, subit et pur, j'entends dans le vent du jour qui
  se lève
L'Oiseau du ciel qui reprend le Capitule et la Leçon brève.

Poem of Paul Claudel that he began in Asia to write,
In the Great Apostasy's age, remote from all men's sight,

Bass flute beneath the pagan clamor, with a trumpet's insolence
  blent,
Articulation in chaos of a phrase that said what it meant.

Dry verses and eager speeding of his heart to his native land,
As he walked along Cambaluc's walls where Tartary's cuckoo
  chuckles, bland,

Or under a verminous willow, where a great salt patch lay
  dry,
On an earth halfway destroyed, eaten up by bad water and
  sky.

Oh, may my tongue wither up, my very breathing choke with
  phlegm,
If ever my soul should forget thee, O Jerusalem!

Like the traveler on his beast who sighs as star follows after
  star,
So my heart yearns for the springs where the quenchless waters
  are!

Over yonder there is the same silence and the same ever-preva-
  lent night,
But time is already behind me and I know that the world is in
  flight . . .

All at once, sudden and pure, I hear as the dawn-winds freshen
The Bird of Heaven Who takes up the Little Chapter and the
  Lesson!

LE CHEMIN DE LA CROIX

THE WAY OF THE CROSS

C'est fini. Nous avons jugé Dieu et nous l'avons condamné
à mort.

Nous ne voulons plus de Jésus-Christ avec nous, car il nous
gêne.

Nous n'avons plus d'autre roi que César ! d'autre loi que le
sang et l'or !

Crucifiez-le, si vous le voulez, mais débarrassez-nous de lui !
qu'on l'emmène !

Tolle ! tolle ! Tant pis ! puisqu'il le faut, qu'on l'immole et
qu'on nous donne Barabbas !

Pilate siège au lieu qui est appelé Gabbatha.

« N'as-tu rien à dire ? » dit Pilate. Et Jésus ne répond pas.

« — Je ne trouve aucun mal en cet homme », dit Pilate, mais
bah !

Qu'il meure, puisque vous y tenez ! Je vous le donne. *Ecce
homo.* »

Le voici, la couronne en tête et la pourpre sur le dos.

Une dernière fois vers nous ces yeux pleins de larmes et de
sang !

Qu'y pouvons-nous ? pas moyen de le garder avec nous plus
longtemps.

Comme il était un scandale pour les Juifs, il est parmi nous
un non-sens.

La sentence d'ailleurs est rendue, rien n'y manque, en lan-
gages hébraïque, grec et latin.

Et l'on voit la foule qui crie et le juge qui se lave les mains.

It is done. We have judged our God and have ordered Him
  slain.
We will not have Christ with us more—He is in the way.
No other king have we but Caesar! No law but blood and
  gain.
You may crucify, if you wish—but let Him be taken away!
Away! Away! Too bad! Since it must be, kill Him and give
  us Barabbas!
Pilate sits in his seat at the place called Gabbatha.

"Have you nothing to say?" asks Pilate. But Jesus utters no
  word.
"I find no cause in the man," says Pilate. "The thing is absurd.
But since you wish, let him die. Take him. Behold the man."
Behold Him—crown on His head and purple over His hand!

A last time He turns to us His eyes full of tears and blood.
What can we do about it? We cannot have Him around.
To Jews He was a scandal; to us, an empty sound.
The judgment, besides, is written—in full three tongues it stands.
You may hear the crowd cry out; and the judge is washing his
  hands.

DEUXIÈME STATION

On lui rend ses vêtements et la croix lui est apportée.

« Salut », dit Jésus, « ô Croix que j'ai longtemps désirée ! »

Et toi, regarde, chrétien, et frémis ! Ah, quel instant solennel

Que celui où le Christ pour la première fois accepte la Croix
éternelle !

O consommation en ce jour de l'arbre dans le Paradis !

Regarde, pécheur, et vois à quoi ton péché a servi.

Plus de crime sans un Dieu dessus et plus de croix sans le
Christ !

Certes le malheur de l'homme est grand, mais nous n'avons
rien à dire,

Car Dieu est maintenant dessus, qui est venu non pas expliquer, mais remplir.

Jésus reçoit la Croix comme nous recevons la Sainte Eu-
charistie :

« Nous lui donnons du bois pour son pain », comme il est dit
par le prophète Jérémie.

Ah, que la croix est longue, et qu'elle est énorme et difficile !

Qu'elle est dure ! qu'elle est rigide ! que c'est lourd, le poids
du pécheur inutile !

Que c'est long à porter pas à pas jusqu'à ce qu'on meure
dessus !

Est-ce vous qui allez porter cela tout seul Seigneur Jésus ?

Rendez-moi patient à mon tour du bois que vous voulez que
je supporte.

Car il nous faut porter la croix avant que la croix nous porte.

They tear His garments, bring to Him the cross by man re-
    quired.
"Hail!" Jesus says, "O Cross I have so long desired!"
Look on it, Christian soul, and fear! Oh, moment awed,
When for the first time Christ assumes the cross outlawed!
Consummated this day, that tree of Eden's test!
O sinner, look and see whither is sin addressed!
No crime again without a God above—no cross but Christ has
    blessed!
Wretched indeed is man, yet no complaint have we still;
For now is God above, come not to explain but to fulfill.
Jesus receives the Cross as we do Holy Communion:
"We give Him wood for His bread." So spoke Jeremias the
    prophet.
Oh, bitter long is the Cross, enormous and full of pain!
How hard it is! How stiff! How heavy, the weight of the sinner-
    in-vain!
A weary load to carry, step after step, till one dies thereon!
Dear Lord, art Thou going to bear that crushing burden alone?

Help me submit to bear in turn the wood Thou mayest wish to
    send;
For a man must carry his cross till it lifts him up in the end!

TROISIÈME STATION

En marche ! victime et bourreaux à la fois, tout s'ébranle
  vers le Calvaire.
Dieu qu'on tire par le cou tout-à-coup chancelle et tombe à
  terre.

Qu'en dites-vous, Seigneur, de cette première chute ?
Et puisque, maintenant, vous savez, qu'en pensez-vous ? cette
  minute
Où l'on tombe et où le faix mal chargé vous précipite !
Comment la trouvez-vous, cette terre que vous fîtes ?
Ah ! ce n'est pas la route du bien seulement qui est raboteuse.
Celle du mal, elle aussi, est perfide et vertigineuse !
Il n'est pas que d'y aller tout droit, il faut s'instruire pierre
  à pierre,
Et le pied y manque souvent, alors que le cœur persévère.
Ah, Seigneur, par ces genoux sacrés, ces deux genoux qui vous
  ont fait faute à la fois,
Par le haut-le-cœur soudain et la chute à l'entrée de l'hor-
  rible Voie,
Par l'embûche qui a réussi, par la terre que vous avez apprise,
Sauvez-nous du premier péché que l'on commet par surprise !

Forward! Victim and slayers together, they straggle to Calvary's
  mound.
God, Whom they drag by the neck, totters and falls to the
  ground.

What dost Thou say of it, Lord, the shock of this primal fall?
And since Thou hast felt it, what now dost Thou think of it
  all—
The moment when one has slipped and the load, ill-set, weighs
  one down?
How dost Thou like it, this earth Thou madest so thick and
  brown?
Not only the road to good is rugged or filled with slime;
The ill one is treacherous, too, and dizzy enough to climb.
One cannot tread it at once, but must learn it, stone by stone:
Upon it the foot may slip, though the heart goes on alone.
O Lord, by Thy sacred knees, the two which failed Thee as
  one,
By Thy nausea, Thy sudden fall when the horrible Way was
  begun,
By that ambush which knew success, by that earth so close to
  Thine eyes,
Save us from that first sin which one commits through sur-
  prise!

O mères qui avez vu mourir le premier et l'unique enfant,
Rappelez-vous cette nuit, la dernière, auprès du petit être
    gémissant,
L'eau qu'on essaye de faire boire, la glace, le thermomètre,
Et la mort qui vient peu à peu et qu'on ne peut plus méconn-
    naître.
Mettez-lui ses pauvres souliers, changez-le de linge et de bras-
    sière.
Quelqu'un vient qui va me le prendre et le mettre dans la
    terre.
Adieu, mon bon petit enfant ! adieu, ô chair de ma chair !

La quatrième Station est Marie qui a tout accepté.
Voici au coin de la rue qui attend le Trésor de toute Pauvreté.
Ses yeux n'ont point de pleurs, sa bouche n'a point de salive.
Elle ne dit pas un mot et regarde Jésus qui arrive.
Elle accepte. Elle accepte encore une fois. Le cri
Est sévèrement réprimé dans le cœur fort et strict.
Elle ne dit pas un mot et regarde Jésus-Christ.
La Mère regarde son Fils, l'Église son Rédempteur,
Son âme violemment va vers lui comme le cri du soldat qui
    meurt !
Elle se tient debout devant Dieu et lui offre son âme à lire.

FOURTH STATION

Mothers who have seen him die—your first child, your only
    one—
Remember the very last night when all that you could do was
    done:
Thermometers, ice, the water for thirst that it could not slake—
Death coming inch by inch, impossible now to mistake! . . .
Put on his pitiful shoes, clothe him in garments all fresh!
They are coming to take him away, to fold him in earth's brown
    mesh.
My own little son, goodbye! God be with you, flesh of my
    flesh!

The fourth station is Mary's acceptance of all God's will.
At the bend of the street she awaits the Treasure of Poverty's
    fill.
No more of tears for her eyes, no moisture to ease her throat.
She says no word but looks at Jesus in seamless coat.
She accepts. Again she accepts. The cry
Is firmly repressed in her heart, whose strength has sufficed.
She says no word, but gazes on Jesus Christ.
The Mother looks on her Son, the Church on her Saviour;
Like the cry of a soldier at death, her soul leaps out to His
    side!
She stands erect before God and gives Him her soul to read:

Il n'y a rien dans son cœur qui refuse ou qui retire,
Pas une fibre en son cœur transpercé qui n'accepte et ne con-
sente.
Et comme Dieu lui-même qui est là, elle est présente.
Elle accepte et regarde ce Fils qu'elle a conçu dans son sein.
Elle ne dit pas un mot et regarde le Saint des Saints.

There is naught in her heart that refuses, how deep soever it
  bleed,
No fiber of that pierced heart but gives its utter consent;
And, as God Himself, she is there with her will to present.
She accepts, and looks on this Son that her body has borne.
She says no word, but looks on the crown He has worn . . .

CINQUIÈME STATION

L'instant vient où ça ne va plus et l'on ne peut plus avancer.
C'est là que nous trouvons jointure et où vous permettez
Qu'on nous emploie nous aussi, même de force, à votre Croix.
Tel Simon le Cyrénéen qu'on attelle à ce morceau de bois.
Il l'empoigne solidement et marche derrière Jésus,
Afin que rien de la Croix ne traîne et ne soit perdu.

FIFTH STATION

The time of exhaustion comes: they cannot go forward. And
  now,
Now is our hour when Thou dost, unresisting, allow
That we be used, even constrained, to help Thee carry Thy
  Cross,
Like Simon the Cyrenean who counted its treasure as dross.
He grasps it, nevertheless, and follows, whatever the cost,
In order that none of the Cross may drag and be lost.

SIXIÈME STATION

Tous les disciples ont fui, Pierre lui-même renie avec trans-
port !
Une femme au plus épais de l'insulte et au centre de la mort
Se jette et trouve Jésus et lui prend le visage entre les mains.

Enseignez-nous, Véronique, à braver le respect humain.
Car celui à qui Jésus-Christ n'est pas seulement une image,
mais vrai,
Aux autres hommes aussitôt devient désagréable et suspect.
Son plan de vie est à l'envers, ses motifs ne sont plus les leurs.
Il y a quelque chose en lui toujours qui échappe et qui est
ailleurs.
Un homme fait qui dit son chapelet et qui va impudemment
à confesse,
Qui fait maigre le vendredi et qu'on voit parmi les femmes
à la messe,
Cela fait rire et ça choque, c'est drôle et c'est irritant aussi.
Qu'il prenne garde à ce qu'il fait, car on a les yeux sur lui.
Qu'il prenne garde à chacun de ses pas, car il est un signe.
Car tout Chrétien de son Christ est l'image vraie quoique in-
digne.
Et le visage qu'il montre est le reflet trivial
De cette Face de Dieu en son cœur, abominable et triomphale !
Laissez-nous la regarder encore une fois, Véronique,
Sur le linge où vous l'avez recueillie, la face du Saint Viatique.

SIXTH STATION

All the disciples have fled; Peter himself emphatically denies!
But plunging deep in the tumult, where most of the danger lies,
A woman rushes to Jesus and takes His face in her hands.

Veronica, teach us to triumph over human respect and its bands!
For he to whom Jesus Christ is not a mere image, but real,
Will find that to other men his presence makes little appeal.
His life runs counter to theirs; his motives are alien, upstart—
Ever they find in him something elusive, apart.
A grown man who says his beads and openly goes to confess,
Abstains from his meat on Fridays, is seen among the women
    at Mass—
Why, he is ridiculous, shocking—funny, but maddening, too.
Let him watch every step, for his neighbors will see the least
    thing he may do.
Let him watch every step, for he is a sign!
For every Christian shows Christ, albeit in faint design,
And the visage he bears is a tiny reflection
Of the Face of God in his heart, oh, hated, triumphant Per-
    fection!
Veronica, just once more let me be in your joy a sharer,
Let me see on the veil where you caught it, the Face of the
    holy Wayfarer!

Ce voile de lin pieux où Véronique a caché
La face du Vendangeur au jour de son ébriété,
Afin qu'éternellement son image s'y attachât,
Qui est faite de son sang, de ses larmes et de nos crachats !

That loyal linen veil in which Veronica wrapt
The Face of the Harvester, the day that His soul was lapped
In soberness, that for aye she might preserve some little
Of His image, painted in blood, in tears and even in spittle!

SEPTIÈME STATION

Ce n'est pas la pierre sous le pied, ni le licou
Tiré trop fort, c'est l'âme qui fait défaut tout à coup.
O milieu de notre vie ! ô chute que l'on fait spontanément !
Quand l'aimant n'a plus de pôle et la foi plus de firmament,
Parce que la route est longue et parce que le terme est loin,
Parce que l'on est tout seul et que la consolation n'est point !
Longueur du temps ! dégoût en secret qui s'accroît
De l'injonction inflexible et de ce compagnon de bois !
C'est pourquoi on étend les deux bras à la fois comme quel-
    qu'un qui nage !
Ce n'est plus sur les genoux qu'on tombe, c'est sur le visage.
Le corps tombe, il est vrai, et l'âme en même temps a consenti.

Sauvez-nous de la Seconde chute que l'on fait volontairement
    par ennui.

SEVENTH STATION

It is not a stone underfoot, nor a tight-drawn halter,
But the soul that all on a sudden begins to falter.
Oh, scorching noon of our life! Oh, fall deliberately made!
When the magnet no longer has pole and faith sees no Heaven
   displayed.
Because the road is long and because the end is afar,
Because one is quite alone where no consolations are!
Oh, straggling aeons of time! Secret disgust, not withstood,
For this unbending commandment and this companion of wood!
That is why one flings out both arms like a swimmer losing his
   pace
And falls—no, not on one's knees, but blindly, full on the face!
The body falls, it is true, and the soul gives instant assent.

Save us from the Second Fall when boredom wakes wilful
   consent!

HUITIÈME STATION

Avant qu'il ne monte une dernière fois sur la montagne,

Jésus lève le doigt et se tourne vers le peuple qui l'accom-
pagne,

Quelques pauvres femmes en pleurs avec leurs enfants dans
les bras.

Et nous, ne regardons pas seulement, écoutons Jésus, car il
est là.

Ce n'est pas un homme qui lève le doigt au milieu de cette
pauvre enluminure,

C'est Dieu qui pour notre salut n'a pas souffert seulement en
peinture.

Ainsi cet homme était le Dieu Tout-Puissant, il est donc vrai !

Il est un jour où Dieu a souffert cela pour nous, en effet !

Quel est-il donc, le danger dont nous avons été rachetés à
un tel prix ?

Le salut de l'homme est-il si simple affaire que le Fils

Pour l'accomplir est obligé de s'arracher du sein du Père ?

S'il va ainsi du Paradis, qu'est-ce donc que l'Enfer ?

Que fera-t-on du bois mort, si l'on fait ainsi du bois vert ?

EIGHTH STATION

Ere for the last time He climbs high on the mountain slopes,
Jesus raises His finger and turns to the following that gropes,
Blinded with tears, in His footsteps—some women with babes
   in their arms.
Let us not gaze on Him only—It is Jesus!—no further alarms,
For this is not man who has halted amidst such a poor caval-
   cade,
But God, Who has suffered quite really to save our weak souls
   He has made.
Verily this Man was mighty, Himself the omnipotent God!
Time was, in all truth, when our safety was bought with the
   suffering of God!
Oh, what must it be, then, the danger from which at such price
   we were won?
So simple a thing our salvation that in order to gain it, the
   Son
Must tear Him away from the Father, in Whose bosom He
   always did dwell?
If this is what happens in Heaven, oh, what is the nature of
   hell?
If this thing be done in the green wood, what fate for the dry
   does it spell?

NEUVIÈME STATION

« Je suis tombé encore, et, cette fois, c'est la fin.
Je voudrais me relever qu'il n'y a pas moyen.
Car on m'a pressé comme un fruit et l'homme que j'ai sur
le dos est trop lourd.
J'ai fait le mal, et l'homme mort avec moi est trop lourd !
Mourons donc, car il est plus facile d'être à plat ventre que
debout,
Moins de vivre que de mourir, et sur la croix que dessous. »

Sauvez-nous du Troisième péché qui est le désespoir !
Rien n'est encore perdu tant qu'il reste la mort à boire !
Et j'en ai fini de ce bois, mais il me reste le fer !
Jésus tombe une troisième fois, mais c'est au sommet du Cal-
vaire.

NINTH STATION

"I have fallen again and this time it is the end.
Even if I want to get up, there is not sort of help to lend;
For I have been pressed like a grape, and the man on my back
   weighs too heavy.
I have done wrong, and the man dead with me weighs too heavy!
Let us die, then, for it is more easy to lie on one's face than to
   stand;
Less easy to live than to die, to be on the cross than under."

Save us from that Third Sin, the pitfall of black despair!
Nothing is ever lost so long as death is not there.
Now I have done with this wood, but the iron is still in sight.
A third time Jesus falls . . . but it is on Calvary's height!

DIXIÈME STATION

Voici l'aire où le grain de froment céleste est égrugé.
Le Père est nu, le voile du Tabernacle est arraché.
La main est portée sur Dieu, la Chair de la Chair tressaille,
L'Univers en sa source atteint frémit jusqu'au fond de ses
    entrailles !
Nous, puisqu'ils ont pris la tunique et la robe sans couture,
Levons les yeux et osons regarder Jésus tout pur.

Ils ne vous ont rien laissé, Seigneur, ils ont tout pris,
La vêture qui tient à la chair, comme aujourd'hui
On arrache sa coulle au moine et son voile à la vierge con-
    sacrée.
On a tout pris, il ne lui reste plus rien pour se cacher.
Il n'a plus aucune défense, il est nu comme un ver,
Il est livré à tous les hommes et découvert.
Quoi, c'est là votre Jésus ! Il fait rire. Il est plein de coups
    et d'immondices.
Il relève des aliénistes et de la police.
Tauri pingues obsederunt me. Libera me, Domine, de ore canis.
Il n'est pas le Christ. Il n'est pas le Fils de l'Homme. Il n'est
    pas Dieu.
Son évangile est menteur et son Père n'est pas aux cieux.
C'est un fou ! C'est un imposteur ! Qu'il parle ! Qu'il se taise !
Le valet d'Anne le soufflette et Renan le baise.
Ils ont tout pris. Mais il reste le sang écarlate.

TENTH STATION

Here is the threshing-floor where the heavenly barley is flailed.
The Father is bared, the Tabernacle rudely unveiled.
A hand has been raised against God, the Flesh of Flesh is
   shaken;
Touched in its very source, creation with fever is taken!
But since they hold the cloak and the seamless robe that He
   had,
Let us lift our eyes and venture to look on Jesus unclad.

Naught have they left Thee, Lord, of each simple garment
   bereft—
Thy vesture that clung to the flesh—as even today naught is
   left
To the monk deprived of his cowl and the consecrate nun of
   her veil.
Everything they have taken, all means of covering fail.
He has no more defense, stripped as a very worm,
Delivered over to men and their violence without term.
What, is *that* your Jesus! He is laughable. Disfigured with filth
   and blows.
Suggestive only of alienists and police, as everyone knows.
Tauri pingues obsederunt me. Libera me, Domine, de ore canis.
He is not the Christ. Nor the Son of Man. Nor the God of love.
His Gospel is false and His Father is not above.
He is a fool! An impostor! Let Him speak! Make Him be still!
The servant of Annas buffets Him—and Renan may kiss Him

   at will.

Ils ont tout pris. Mais il reste la plaie qui éclate !
Dieu est caché. Mais il reste l'homme de douleur.
Dieu est caché. Il reste mon frère qui pleure !

Par votre humiliation, Seigneur, par votre honte,
Ayez pitié des vaincus, du faible que le fort surmonte !
Par l'horreur de ce dernier vêtement qu'on vous retire,
Ayez pitié de tous ceux qu'on déchire !
De l'enfant opéré trois fois que le médecin encourage,
Et du pauvre blessé dont on renouvelle les bandages,
De l'époux humilié, du fils près de sa mère qui meurt,
Et de ce terrible amour qu'il faut nous arracher du cœur !

Everything they have taken; but the scarlet blood remains.
Everything they have taken; there is left the wound which
    stains!
God is hid. But the man of sorrows is here.
God is hid. But my brother is shedding a slow-drawn tear.

By Thine humiliation, O Lord, by Thine awful shame,
Have pity on all the vanquished, the weak whom the strong
    defame!
By the horror of this last garment from Thee so crudely shorn,
Have pity on men whom others maliciously have torn;
On the child three times on the table whom the surgeon would
    seek to cheer,
And on the wounded man whose dressings are black and drear,
On the rejected husband, on the son as his mother dies—
But most, on this terrible love in our hearts we must cauterize!

ONZIÈME STATION

Voici que Dieu n'est plus avec nous. Il est par terre.
La meute en tas l'a pris à la gorge comme un cerf.
Vous êtes donc venu ! Vous êtes vraiment avec nous, Seig-
    neur !
On s'est assis sur vous, on vous tient le genou sur le cœur.
Cette main que le bourreau tord, c'est la droite du Tout-Puis-
    sant.
On a lié l'Agneau par les pieds, on attache l'Omniprésent.
On marque à la craie sur la croix sa hauteur et son envergure.
Et quand il va goûter de nos clous, nous allons voir sa figure.

Fils Éternel, dont la borne est votre seule Infinité,
La voici donc avec nous, cette place étroite que vous avez
    convoitée !
Voici Élie sur le mort qui se couche de son long,
Voici le trône de David et la gloire de Salomon,
Voici le lit de notre amour avec Vous, puissant et dur !
Il est difficile à un Dieu de se faire à notre mesure.
On tire et le corps à demi disloqué craque et crie,
Il est bandé comme un pressoir, il est affreusement équarri.

ELEVENTH STATION

No longer is God among us. He lies on the ground,
Like a deer in whose throat are sinking the teeth of the hound.
So Thou hast come! Verily, Thou art with us, O Lord!
They have seated themselves upon Thee, the nails on Thy breast
  are stored.
This hand that the doomsman twists wields the Power that naught
  can impair.
They have tied the feet of the Lamb and fastened Him Who is
  everywhere.
They mark with chalk on the Cross His height and the length
  of His arm,
And we will gaze on His face while our nails are doing Him
  harm.

Eternal Son, Who art straitened by naught but infinity,
Here is Thy place among us, long sought by Thy charity!
Here is Elias, at death, stretched out at full length;
Here is the throne of David, the glory of Solomon's strength;
Here is the bridal couch of our love with Thee, cruel, impas-
  sioned—
Oh, how hard for a God to be measured as men are fashioned!
They pull, and the body, half-dislocate, creaks and strains.
He is held as in a wine-press and squared with unspeakable
  pains,

Afin que le Prophète soit justifié qui l'a prédit en ces mots :
« *Ils ont percé mes mains et mes pieds. Ils ont énuméré tous*
mes os. »

Vous êtes pris, Seigneur, et ne pouvez plus échapper.
Vous êtes cloué sur la croix par les mains et par les pieds.
Je n'ai plus rien à chercher au ciel avec l'hérétique et le fou.
Ce Dieu est assez pour moi qui tient entre quatre clous.

That the words of the prophet be true, who foretold it in
  groans:
*"They have pierced My hands and My feet. They have numbered
  all my bones."*

Thou art taken, O Lord, and canst not find issue from this Thy
  seat:
Thou art nailed to the Cross securely by both of Thy hands
  and Thy feet.
No more shall I search for in Heaven with the crowd that so
  wildly rails—
This God is enough for me, Who is held by just four nails!

DOUZIÈME STATION

Il souffrait tout à l'heure, c'est vrai, mais maintenant il va
  mourir.
La Grande Croix dans la nuit faiblement remue avec le Dieu
  qui respire.
Tout y est. Il n'y a plus qu'à laisser faire l'Instrument
Qui du joint de la double nature inépuisablement,
De la source du corps et de l'âme et de l'hypostase, exprime
  et tire
Toute la possibilité qui est en lui de souffrir.
Il est tout seul comme Adam quand il était seul dans l'Eden,
Il est pour trois heures seul et savoure le Vin,
L'ignorance invincible de l'homme dans le retrait de Dieu !
Notre hôte est appesanti et son front fléchit peu à peu.
Il ne voit plus sa Mère et son Père l'abandonne.
Il savoure la coupe et la mort lentement qui l'empoisonne.
N'en avez-Vous donc pas assez de ce vin aigre et mêlé d'eau,
Pour que Vous Vous redressiez tout-à-coup et criiez : *Sitio ?*
Vous avez soif, Seigneur ? Est-ce à moi que Vous parlez ?
Est-ce moi dont Vous avez besoin encore et de mes péchés ?
Est-ce moi qui manque avant que tout soit consommé ?

TWELFTH STATION

A while ago, it is true, He was suffering; but now He will die.
The great Cross in the dark moves with its God's deep sigh.
All is consummated. There is but to let it wreak
God's will, this Instrument, which, without cease or check,
From the union of the double nature, body and soul and hypos-
    tasis, will express
The utmost power He has to suffer grievous distress.
He is quite alone, like Adam, who in Eden was solitary.
For three hours He is alone and the taste of His wine does not
    vary:
The invincible ignorance of man in the face of the withdrawal
    of God!
Our Guest is weighed down and His forehead by little and
    little is bowed.
His Mother He sees no more and His Father abandons Him.
He tastes of the cup and of death, which lingering comes in.
Hast Thou not enough of this draught of wine and water
    accurst,
That Thou must straighten up swiftly and cry aloud, "I thirst"?
Thou art thirsty, O Lord? Art Thou calling to me?
Hast Thou yet need of me, mine iniquity?
That all be consummated, dost Thou need me?

Ici la Passion prend fin et la Compassion continue.

Le Christ n'est plus sur la Croix, il est avec Marie qui l'a reçu :

Comme elle l'accepta, promis, elle le reçoit, consommé.

Le Christ qui a souffert aux yeux de tous de nouveau au sein de sa Mère est caché.

L'Église entre ses bras à jamais prend charge de son bien-aimé.

Ce qui est de Dieu, et ce qui est de la Mère, et ce que l'homme a fait,

Tout cela sous son manteau est avec elle à jamais.

Elle l'a pris, elle voit, elle touche, elle prie, elle pleure, elle admire ;

Elle est le suaire et l'onguent, elle est la sépulture et la myrrhe,

Elle est le prêtre et l'autel et le vase et le Cénacle.

Ici finit la Croix et commence le Tabernacle.

Here is the end of the Passion; but the Compassion goes on.
Christ is no more on the Cross, for Mary has taken her Son.
As she received Him, promised, so now she receives Him, ful-
　filled.
He Who bled before all on His Mother's bosom lies stilled.
The Church will cherish forever her Well-Beloved, in her arms—
What is of God, what of the Mother, what man has covered with
　harm,
All that under her mantle is with her, safe from alarm.
She has taken Him, fondles Him, sees Him; her tears and her
　prayers are astir.
She is the shroud and the ointment, the sepulchre and the myrrh.
She is the priest and the altar, the vase and the Cenacle,
For at this point endeth the Cross and beginneth the Tabernacle!

Le tombeau où le Christ qui est mort ayant souffert est mis,
Le trou à la hâte descellé pour qu'il dorme sa nuit,
Avant que le transpercé ressuscite et monte au Père,
Ce n'est pas seulement ce sépulcre neuf, c'est ma chair,
C'est l'homme, votre créature, qui est plus profond que la
    terre !
Maintenant que son cœur est ouvert et maintenant que ses
    mains sont percées,
Il n'est plus de croix avec nous où son corps ne soit adapté,
Il n'est plus de péché en nous où la plaie ne corresponde !
Venez donc de l'autel où vous êtes caché vers nous, Sauveur
    du monde !
Seigneur, que votre créature est ouverte et qu'elle est pro-
    fonde !